САРА УАЙТХЕД

КАК ВОСПИТАТЬ ЩЕНКА

ПРАКТИЧЕСКОЕ РУКОВОДСТВО ДЛЯ ДЕТЕЙ И ИХ РОДИТЕЛЕЙ

«МАРТИН»
МОСКВА
2010

САРА УАЙТХЕД

КАК ВОСПИ- ТАТЬ ЩЕНКА

ПРАКТИЧЕСКОЕ РУКОВОДСТВО ДЛЯ ДЕТЕЙ И ИХ РОДИТЕЛЕЙ

Фотографии Джейн Бертон

ББК 46.73   Охраняется законом РФ
У 12   об авторском праве

Сара Уайтхед

КАК ВОСПИТАТЬ ЩЕНКА.
Практическое руководство для детей
и их родителей

Перевод с англ. Е.Е. Колесовой

Puppy Training for Kids
by
Sarah Whitehead

Это издание впервые опубликовано в США в 2001 г. Все фотографии выполнены Джейн Бертон и Ким Тейлор (Warren Photographic). Фотография на стр. 19 (внизу слева) выполнена Хейзел Тейлор.

Дети и их питомцы: Джуман Бэнт и Джокер, Марсиа Блейк и Генри, Шан Хотон и Бесс, Луиз Чемберс и Софи, Грейс Коул-Хокинс и Фиджет и Роло, Джей и Шан Гиринг и Биб, Эмили Мейн и Мисти Уэллингтон, Катрин Мейн и Молли и Тэнзи, Наташа и Кристофер Макнотон и Томми и Джем, Бен Монкс и Спекс, Лоллипоп и Блейз, Латаша Мерфи и Бобби и Мисти, Лорри Мерфи и Зена и Оливер, Росс Панкурст и Инка, Питер Ричардс и Пипит, Бредли Раддик и Тиг, Джоди Раддик и Флек, Люк Стент и Джордж, Адель и Джемма Трейси и Чип и Флай.

Уайтхед С.

У 12   Как воспитать щенка. Практическое руководство для детей и их родителей. Пер. с англ. — М.: Мартин, 2010. — 96 с.: ил.

ББК 46.73

Книга «КАК ВОСПИТАТЬ ЩЕНКА» научит детей заботиться о щенках как о членах семьи, расскажет о методах дрессировки, специальных упражнениях и играх для веселого и интересного общения.

Книгу с прекрасными цветными фотографиями, написанную в доступной и понятной форме, рекомендуется читать детям вместе с родителями и все советы по уходу и воспитанию выполнять совместно.

ISBN 978-5-8475-0561-1 (рус.)
ISBN 978-0-7641-1940-8 (англ.)

Родителям на заметку

Книга была написана, чтобы помочь детям всех возрастов активно участвовать в воспитании и дрессировке щенка.

Дети зачастую отлично ладят с животными. Общение с братьями нашими меньшими позволит вашему ребенку узнать много нового и научит его быть добрым и внимательным.

Все упражнения, описанные в книге, доступны и интересны, однако лучше, чтобы ребенок занимался с собакой под вашим присмотром. Мы рекомендуем вам читать эту книгу вместе с ребенком и помогать ему воспитывать щенка.

Если вас беспокоит поведение вашей собаки, особенно по отношению к ребенку, обратитесь за помощью к ветеринару и попросите направить вас к профессиональному тренеру и специалисту по изучению поведения животных.

содержание

введение

Нет ничего прекраснее, чем быть хозяином щенка. Собаки забавны и дружелюбны, к тому же они верные друзья. Они с радостью резвятся, когда вы полны энергии, и тихонько сидят рядом, когда вам просто нужно, чтобы рядом был друг.

Быть хозяином щенка – значит взять на себя ответственность за жизнь и здоровье живого существа, причем не на день или неделю, а на все те годы, которые он или она проживет рядом с вами. Со щенком нужно гулять, даже в плохую погоду. Щенка нужно кормить и играть с ним, даже если вы весело проводите время в компании друзей, и с ним нужно заниматься, чтобы он понял, как жить среди людей. Однако заботиться о щенке – это еще и очень весело и увлекательно.

Не откладывайте дело в долгий ящик, начинайте заниматься со щенком уже сейчас, ведь он недолго будет маленьким. Собаки взрослеют гораздо быстрее людей! За первые шесть месяцев жизни щенок может вырасти до размеров взрослой собаки; в этом возрасте он уже может бегать, прыгать и вести себя как взрослая собака, как видно из иллюстрации на этой странице, хотя многие дети в шесть месяцев еще не могут ходить, говорить и даже ползать.

Развитие щенка по сравнению с развитием ребенка

(В качестве примера использованы данные о развитии нечистокровных собак среднего размера)

Щенок, 2–4 недели
Ребенок, 1–2 года

Щенок, 12–18 недель
Ребенок, 8–11 лет

**Щенок, 4–8 недель
Ребенок, 3–4 года**

**Щенок, 8–12 недель
Ребенок, 5–7 лет**

**Щенок, 9–12 месяцев
Ребенок, 15–17 лет**

**Щенок, 5–9 месяцев
Ребенок, 11–14 лет**

ТВОЯ собака в первый год жизни

Две-четыре недели

Щенки рождаются слепыми и глухими. Как и новорожденные дети, на начальном этапе жизни они полностью зависят от своей матери, которая их кормит, согревает и заботится о них. Примерно через две недели у щенков открываются глаза, в это же время они начинают слышать. К трем неделям щенки уже могут ходить, хотя и немного неуклюже!

В этом возрасте щенки стараются исследовать все вокруг, но им необходимо все время быть рядом с мамой, иначе они быстро замерзают.

С самого рождения у щенков хорошо развито обоняние, ведь у собак более 200 миллионов обонятельных рецепторов! Малыши знают, как пахнет их мама, и могут найти ее, ориентируясь по запаху.

Окрас

Все щенки невероятно милы и симпатичны в первые недели жизни. За это время у них может очень сильно измениться структура шерстяного покрова и окрас, кроме того, щенки заметно подрастают и становятся довольно угловатыми. Собаки некоторых пород за первые несколько недель жизни меняются до неузнаваемости. Например, щенки далматинцев рождаются совершенно белыми. Только спустя несколько дней у них начинают появляться пятнышки, которые впоследствии становятся ярче.

Четыре-восемь недель

В возрасте четырех недель щенки уже могут ходить, бегать и играть друг с другом и с игрушками. Они очень любопытны и стремятся исследовать все вокруг.

Вверху: *несложно угадать, какой самый чувствительный орган у новорожденного щенка — конечно, это нос!*

Слева: *щенки спят, прижавшись друг к другу — так им теплее, и они чувствуют себя в безопасности.*

В этот период у щенков появляются очень маленькие и острые зубы.

Так же, как маленькие дети, они стараются попробовать на вкус все, что их окружает.

Дети в этом возрасте (от трех до четырех лет) учатся говорить. Щенки тоже учатся общению, но они разговаривают друг с другом при помощи языка движений. Например, один щенок подходит к другому и начинает вилять хвостом или поднимает лапу. Это значит, что он хочет играть, и его братик или сестренка понимают этот жест. Другая легко узнаваемая поза – когда щенок опускает голову и вытягивает вперед передние лапы, при этом подняв хвост высоко вверх. Таким образом он приглашает поиграть с ним.

В возрасте четырех-пяти недель щенки начинают есть твердую пищу. Это значит, что они становятся более независимыми, ведь они больше не нуждаются в мамином молоке. Но для начала им нужно научиться как следует пережевывать еду. Иногда им надоедает этот процесс, и они начинают играть с едой вместо того, чтобы есть ее.

В возрасте четырех недель щенки уже хорошо видят.

Шумные игры

Играя, щенки борются и кусаются. Иногда они даже могут сделать друг другу больно. Если один щенок слишком сильно кусает другого, тот обычно начинает громко скулить, и игра тут же прекращается. Это учит щенков быть осторожными и не обижать друг друга.

Восемь–двенадцать недель

Чаще всего щенков забирают в новые дома, когда им исполняется восемь недель. Им, должно быть, очень тоскливо, когда они расстаются с мамой и маленькими братьями и сестрами – только представьте, если бы вам пришлось уехать из родительского дома в пятилетнем возрасте! В этот период щенки все время либо едят, либо играют, либо спят.

За первые несколько дней, которые щенки проводят в новом доме, они стараются исследовать в нем каждый уголок и познакомиться со своей новой семьей. Очень важно, чтобы у щенка была своя постель и чтобы его не беспокоили во время сна.

Щенки очень гибкие. Они могут переворачиваться, кувыркаться и даже лежать на животе, вытянув лапы назад.

Щенки пытаются грызть практически все, что встречается на их пути. Они не видят никакой разницы между палкой и ножкой стола – им хочется поиграть и с тем, и с другим! Поэтому вам необходимо позаботиться о том, чтобы у вашего любимца были подходящие для него игрушки. Идеальны, например, игрушки из прочной резины и других материалов.

Учимся хорошим манерам

Всех щенков нужно учить с уважением относиться к людям и старшим собакам. Стоит освоить базовые приемы дрессировки и проследить, чтобы щенок побольше

играл и общался с собаками и людьми. Он должен научиться приветствовать тебя и твоих друзей, когда вы приходите из школы, переходить улицу только тогда, когда это безопасно, и гулять на поводке.

В возрасте от восьми до двенадцати недель щенки узнают много нового об окружающем мире.

Двенадцать–восемнадцать недель

В это время щенки познают окружающий мир. Они начинают понимать, что такое хорошо и что такое плохо. Как и детям, им нужна «школа», чтобы научиться правильно вести себя с другими собаками и с людьми. В этом возрасте щенка можно научить, например, сидеть по команде и другим разнообразным фокусам – ведь ему так хочется учиться и играть.

На этом этапе поведение щенков обычно отражает наиболее яркие черты, свойственные их породе. Терьеры, например, любят копать. Ретриверы и другие охотничьи собаки любят носить в зубах разные предметы,

а колли и другие пастушьи собаки могут заботиться о тебе так, будто ты – овечка из стада, которое они охраняют!

Пять–девять месяцев

Это подростковый период для собак. В этом возрасте они часто выглядят чересчур длинноногими, неуклюжими и неловкими. Им еще предстоит узнать много нового об окружающем мире, но они уже чувствуют себя гораздо увереннее. В этот период нужно много заниматься с собакой и дать ей понять, что существуют строгие правила поведения. Возможно, когда щенку было двенадцать недель, казалось милым, что он спал с тобой в одной кровати. Но теперь он уже подрос и, пожалуй, занимает слишком много места!

Занятия по дрессировке научат щенка понимать человеческие слова и жесты. Поскольку собака не может говорить и не знает человеческого языка, тебе предстоит объяснить ей, что значит то или иное слово. Очень важно вознаграждать собаку едой или игрушками, хвалить ее радостным и счастливым голосом, и тогда занятия будут щенку в радость. Ведь собаки, как и люди, лучше всего учатся тогда, когда это доставляет им удовольствие.

Большинство «собак-подростков» очень активны, они любят бегать, прыгать и вставать на задние лапы. Чтобы собака была здоровой и добродушной, ей нужно много двигаться. Научи ее гоняться за мячом или игрушкой и приносить их обратно – это отличное развлечение, к тому же тебе не придется бегать так далеко, как твоему щенку.

Девять-двенадцать месяцев

Твоя собака уже взрослая. Теперь она стала заметно более мускулистой и, скорее всего, уже совсем выросла.

Некоторые собаки любят резвиться, как щенки, даже когда они уже взрослые. Другие, наоборот, ведут себя спокойно и разумно с самых ранних лет. Конечно, с помощью тренировок ты научишь щенка правильно себя вести, но не стоит забывать, что некоторые породы собак очень активны и легко возбудимы в любом возрасте, например, боксеры и далматины.

Щенок общается с другими собаками

Очень важно, чтобы щенок встречался и играл с другими собаками. Всем собакам нужно общение со своими сородичами. Это значительно уменьшает риск, что между ними возникнет драка.

Волк в собачьей шкуре

Всем собакам нужны вода, еда, дом, комфорт и друзья. Собаки любят быть в обществе, им нужна семья. Собаки произошли от волков и, хотя внешне они не очень на них похожи, во многом ведут себя так же, как их дикие предки. Например, собакам нравится гоняться за игрушками и ловить их. Это очень похоже на то, как волки гонятся за добычей, ловят ее, а потом съедают.

Собаки любят быть в обществе, им нравится, когда рядом много друзей.

как устроен твой щенок
1 обоняние и вкус

Обоняние

С самого рождения у собак потрясающее обоняние. Хотя новорожденные щенки ничего не видят, не слышат и не могут ходить, они чувствуют запах и тепло своей мамы и ползут к ней, чтобы она их накормила.

Со временем обоняние щенка становится лучше. К тому моменту, когда он повзрослеет, его обоняние будет намного острее человеческого – по меньшей мере в миллион раз!

Нос собаки холодный и влажный – это помогает ей улавливать молекулы запахов, витающие в воздухе.

При помощи обоняния щенки и взрослые собаки общаются друг с другом. Поэтому они часто обнюхивают землю и те места, где были другие собаки. С помощью обоняния они могут «читать» сообщения, оставленные другими собаками, совсем как человек читает газету. При встрече собаки обнюхивают друг друга и таким образом здороваются. По запаху они могут узнать многое о здоровье другой собаки, определить ее пол и даже понять, насколько она дружелюбна.

Собаки также используют обоняние для охоты. Их дикие предки – волки – охотились, чтобы прокормить себя. Современные собаки могут использовать эти навыки, например во многих видах спорта и даже для того, чтобы находить людей, которых завалило обломками зданий во время землетрясения.

Вкус

Неизвестно, сколько именно оттенков вкуса может распознавать собака. Некоторым

Как устроен нос

Как и у нас, внутри носа собаки есть чувствительный слой, или мембрана. Мельчайшие молекулы запаха, витающие в воздухе, оседают на влажную поверхность на носу или во рту собаки, а потом впитываются мембраной. Специальный отдел мозга «читает» сообщения, заложенные в этих молекулах, и позволяет собаке распознавать запахи.

Мозг

Запах

Обонятельная луковица

Вверху: *Обоняние очень важно для собак – эти щенки обнюхивают росистую траву, на которой паслись кролики.*

собакам та или иная еда может нравиться больше всего остального, и, по всей вероятности, они могут различать горькое, сладкое, кислое и соленое, но, возможно, они ощущают эти вкусы не так, как мы.

Внизу: *С помощью запаха собаки могут многое узнать друг о друге. На этой фотографии щенок, помесь лейкленд-терьера и бордер-колли, и черная ищейка обнюхивают друг друга.*

Кажется, что некоторые собаки могут и даже хотят съесть все, что угодно – им даже нравится лук или чеснок. Другие не хотят пробовать что-либо новое и не желают есть угощение, которое до этого не пробовали.

Вкусовое отвращение

Иногда у собак возникают ассоциации, связанные со вкусом той или иной еды. Если, съев какой-то продукт, собака почувствовала себя плохо, она еще долго будет отказываться его есть. Это называется «вкусовое отвращение». Подобная реакция удерживает собаку от того, чтобы съесть продукт, который может навредить ее здоровью.

Почему собака обнюхивает людей

Собаки умеют узнавать людей по запаху. Они помнят людей, которых видели лишь однажды, потому что помнят их запах. Но иногда даже собака не может отличить друг от друга двух близнецов!

2 зрение

Новорожденные щенки совершенно слепые. Они рождаются с закрытыми глазами и ничего не видят около двух недель, пока их глазки не начнут открываться. После того как глаза щенка полностью откроются, он еще некоторое время видит все немного размытым, но потом его зрение проясняется, и он уже хорошо видит своих братьев и сестер, свою маму и все, что его окружает.

Глаз собак гораздо чувствительнее нашего к свету и движению, но контуры предметов они видят не так четко, как мы. Собака может заметить даже очень маленькое насекомое в траве, если оно движется, однако если оно неподвижно, она вряд ли его увидит.

У некоторых пород собак зрение лучше, чем у других. Ведь их выводили специально для того, чтобы во время охоты они могли заметить добычу издалека. Например, у афганс-

Вверху: *Этому щенку бордер-колли всего десять дней и он еще не может открыть глаза. Для этой годовалой собаки породы салюки, изображенной на фотографии* **внизу**, *зрение почти так же важно, как обоняние: ведь с помощью этих чувств она охотится.*

кой борзой глаза посажены намного шире, чем у бульдогов, благодаря чему угол зрения у них гораздо больше.

Собаки лучше, чем человек, видят в сумерках или при плохом освещении. Но из-за того, что их глаза устроены по-другому, они различают гораздо меньше цветов.

Лови!

У собак очень хороший глазомер. Это значит, что если ты бросаешь мяч, собака знает, насколько далеко и с какой скоростью ей нужно бежать, чтобы поймать его. У некоторых собак это настолько хорошо получается, что они даже участвуют в соревнованиях по играм с фризби*.

*Фризби – летающий диск, или спортивный снаряд, представляющий собой пластиковый диск с загнутыми краями диаметром 20–25 см. Дог-фризби – соревнования с участием собак, основным моментом которых является то, что дрессировщик должен бросить диск, а собака его поймать. – *Прим. пер.*

Когда щенку 14 дней, его глаза только начинают открываться.

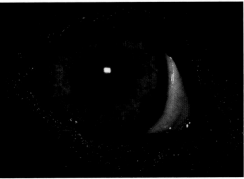

У собак есть третье веко. Обычно его видно только если собака больна.

Глаза собак вырабатывают слезы. Однако собаки, когда им грустно, не плачут, как люди. Слезы помогают сохранить глаза собаки чистыми и увлажняют их.

В отличие от человека, у собак есть третье веко, которое находится во внутреннем уголке глаза. Если собака здорова, его обычно не видно. Третье веко защищает глаза собаки.

Как видеть, когда ничего не видишь

С возрастом у многих собак ухудшается зрение, а некоторые даже могут полностью ослепнуть. Удивительно то, что многие из них все равно отлично себя чувствуют и прекрасно ориентируются дома и во дворе, потому что помнят, что где находится, а также пользуются обонянием и осязанием.

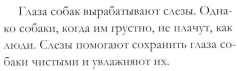

Салюки заметила движение в кустах, и замерла в специальной позе, которая показывает охотнику, что собака увидела добычу.

Как устроен глаз

Глаз – это шар, наполненный жидкостью. Он располагается в глазницах черепа, и его поддерживают сильные мышцы. С помощью этих мышц собака может двигать глазом вправо, влево, вверх и вниз и таким образом видеть то, что находится вне поля зрения.

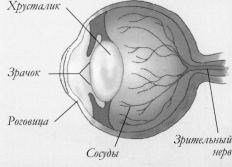

Хрусталик

Зрачок

Роговица

Сосуды

Зрительный нерв

3 слух

Большинство владельцев собак знают, что стоит лишь тихо зашуршать оберткой от печенья, как собака уже несется к вам со всех ног! Это показывает, насколько хорошо собаки слышат. Волкам и диким собакам отличный слух необходим, чтобы успешно охотиться, защищаться от врагов и общаться со своими сородичами.

Новорожденные щенки практически ничего не слышат. Спустя несколько дней они уже различают громкие звуки, а всего через несколько недель слышат уже лучше, чем человек. Молодая, здоровая собака способна уловить звук за одну шестисотую долю секунды. У собак хорошо развиты мышцы наружного уха, что помогает звуку быстрее достигнуть внутреннего уха. Благодаря этому собака может слышать звук с расстояния в четыре раза больше, чем слышит человек.

Собаки также могут закрывать наружное ухо, чтобы не слышать посторонних шумов и сконцентрироваться на каком-то определенном звуке. Именно поэтому иногда щенок может игнорировать тебя, особенно если в этот момент он весело играет.

Глухота

К сожалению, некоторые щенки очень быстро теряют слух. Одним породам собак это более свойственно, чем другим. Особенно часто глухотой страдают белые собаки. Также часто это случается с далматинцами, бультерьерами и белыми боксерами. Собаки этих пород часто рождаются глухими на одно или оба уха. Иногда бывает сложно понять, страдает ли собака глухотой, до тех пор, пока у нее не появятся щенки, но сегодня ветеринары уже умеют проверять слух щенков в очень раннем возрасте.

Глухие собаки могут наслаждаться жизнью и быть очень активными. Конечно, дрессировка глухого щенка потребует много времени и усилий, но нет ничего невозможного, и, добившись результата, ты не пожалеешь затраченных сил. Собаки быстро учатся понимать команды, отдаваемые жестом, а не голосом. Если заниматься с глухим щенком терпеливо и спокойно, он станет тебе хорошим другом.

Слева: *Этот щенок наклонил голову набок, чтобы лучше расслышать незнакомый звук.*

Справа: *Это щенок породы кавалер-кинг-чарлз-спаниель, ее зовут Рози, и она что-то внимательно слушает, наклонив голову и свесив свои красивые мохнатые ушки.*

Громкие звуки

У собак очень чуткий слух, а значит, высокочастотные и слишком громкие звуки могут им навредить. Поэтому, когда будешь тренировать свою собаку, будь терпелив и разговаривай спокойным голосом, не кричи.

Наклон головы

Собаки часто наклоняют голову набок, когда хотят лучше расслышать какой-либо звук или заинтересованы каким-то шумом. Когда щенки так делают, они выглядят очень мило – кажется, что они внимательно слушают каждое твое слово. Ты только посмотри на этих двух щенков на фотографиях внизу!

Как устроено ухо

Ухо собаки состоит из четырех частей: нависающая часть, наружный ушной канал, среднее ухо и внутреннее ухо. Размер и форма нависающей части уха зависит от породы твоего щенка. Нависающая часть уха защищает внутреннее ухо и помогает звуку быстрее достигнуть барабанной перепонки.

За барабанной перепонкой находится среднее ухо. Здесь расположены три маленькие кости, которые передают звуковые вибрации от барабанной перепонки к внутреннему уху. Во внутреннем ухе находится улитка, которая распознает звуковые вибрации и перерабатывает их в сигналы, посылаемые в мозг.

Внутреннее ухо также отвечает за чувство равновесия собаки. Благодаря ему щенок может бегать, поворачиваться и прыгать, приземляясь на все четыре лапы.

Нависающая часть уха

Канал наружного уха

Барабанная перепонка

Внутреннее ухо

Улитка

Среднее ухо

Маленькие кости

Внизу: *У некоторых пород собак, например у сибирских хаски, уши стоячие.*

Справа: *Вверх или вниз? У этого щенка еще не полностью сформировалась форма ушей.*

4 осязание, тепло и терморегуляция

В течение первых двух недель жизни щенки практически полностью зависят от своего осязания и обоняния. В этот период их организм еще не способен поддерживать постоянную температуру тела, и щенки прижимаются к маме и друг к другу, чтобы согреться.

После того как щенок покидает маму и начинает жить в доме своих новых хозяев, он должен привыкнуть к тому, что теперь к нему по-другому прикасаются. Большинство щенков любит, когда хозяева их гладят, но далеко не всем нравится, когда их обнимают. Обычно собакам приятнее всего, когда им гладят грудь и живот. Некоторые настолько это любят, что катаются по полу на спине, подставляя живот, чтобы ты его почесал.

С помощью осязания собаки кожей ощущают тепло, холод, боль и удовольствие. Нос – это также очень чувствительный орган, поэтому никогда не надо целовать собаку в нос. Усы – тоже орган осязания, с их помощью собаки определяют местоположение предметов.

Внизу: *Эти новорожденные щенки прижимаются к маме и друг к другу, чтобы не замерзнуть.*

Вверху: *Многим собакам нравится, когда им гладят живот.*

Шерсть и когти собак похожи на наши волосы и ногти: в случае необходимости их можно подстригать, не боясь, что собаке будет больно.

Если собака не очень любит, когда ее гладят, то, скорее всего, ей совсем не нравится, когда прикасаются к подушечкам на лапах, рту и хвосту – это очень чувствительные места. Заботясь о щенке, очень важно каждый день гладить его по всему телу и вознаграждать каким-либо лакомством или интересной игрой.

Если собаки живут вместе или хорошо знают друг друга, взаимные прикосновения успокаивают их, и поэтому они любят спать рядом или даже в одной кровати! Возможно, при этом они ощущают тепло и чувство защищенности, знакомое им еще с детства, когда они спали, прижавшись к маме, братьям и сестрам.

Как собаки согреваются

Многие собаки очень легко согреваются, даже если плавают в холодной воде. Некоторые породы были выведены специально, чтобы они не мерзли холодной зимой. У них очень густая шерсть и подпушка, благодаря которой собаке не страшна любая непогода. У некоторых

пород собак, например, у сибирских лаек, шерсть растет даже на подушечках лап, чтобы собака не мерзла. Многие владельцы собак зимой одевают своих любимцев в специальные шубки или пальто, благодаря чему даже маленькие собачки, у которых не очень густая шерсть, не замерзнут и не промокнут. В зоомагазинах можно найти самую разную одежду для собак – от вязаных шерстяных свитеров до непромокаемых плащей.

Нужно охладиться!

Для многих собак охладиться, когда им жарко, гораздо сложнее, чем не замерзнуть. Это происходит потому, что собаки, в отличие от человека, не потеют. Они могут немного охладиться только через подушечки на лапах или когда дышат, открыв рот. В замкнутом пространстве летом животному очень тяжело справиться с жарой, и поэтому запирать собаку в автомобиле в жаркую погоду может быть очень опасно. Летом собаке нужно много свежего воздуха, тенек, где она может отдохнуть, и много воды – в жару собаки много пьют. Многим собакам, как, например бордер-колли на фотографии вверху, в жару нравится плавать в море или любом другом водоеме.

Прически

Собак некоторых пород часто подстригают особым образом, чтобы помочь им не замерзнуть или не перегреться. Например, порода стандартных пуделей была выведена специально, чтобы собаки доставали из воды уток. Поэтому пуделей подстригали, оставляя длинную шерсть на груди, коленях, запястьях и лодыжках – благодаря этому собаки не мерзли в воде.

5 движение

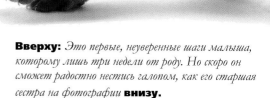

Собаки бегают гораздо быстрее людей, и им легче сохранять равновесие, ведь у них четыре ноги, а не две. Практически все собаки могут обогнать человека, а некоторые бегают действительно очень быстро. Грейхаунды, например, могут разгоняться до 70 км/ч.

Скелет собаки

Скелет собаки поддерживает и защищает внутренние органы. Кости представляют собой полые трубки, заполненные костным мозгом. Кровь питает костный мозг, проникая в кости через мелкие дырочки на их поверхности. Благодаря этому сломанная кость срастается.

В отличие от человека, у собак нет ключиц, и передние конечности поддерживаются только сильными мышцами. Это обеспечивает большую подвижность, чтобы собака могла с легкостью бегать, прыгать, плавать и поворачиваться.

Собаки могут ходить, бегать рысью, аллюром или галопом, а также прыгать, изгибаться, плавать и даже ползать. Большим собакам обычно нравится передвигаться вприпрыжку, а маленьким — бежать рысцой, высоко поднимая ноги.

Вверху: *Это первые, неуверенные шаги малыша, которому лишь три недели от роду. Но скоро он сможет радостно нестись галопом, как его старшая сестра на фотографии* **внизу.**

Собаки затрачивают много энергии только тогда, когда в этом есть необходимость, например, когда они играют или выполняют какое-либо задание. Это значит, что волки и большинство домашних собак на большие расстояния предпочитают бегать аллюром. Ездовые собаки, например сибирские лайки и аляскинские маламуты, — настоящие специалисты по бегу на длинные дистанции. Со скоростью до 40 км/ч они могут пробежать 1600 км менее чем за 10 дней.

Как быстро они бегают?

Волк: 56 км/ч
Грейхаунд: 70 км/ч
Леопард: 113 км/ч

Почему собаки потягиваются?

Собаки часто потягиваются после сна, чтобы разогреть мышцы, и просто потому, что хорошо себя чувствуют, – это очень похоже на то, как мы потягиваемся по утрам. Многие собаки потягивают сначала одну часть туловища, а потом другую: наклоняя вниз грудь, они потягивают задние ноги, а потом шею и плечи.

Плавание

Обычно собаки хорошо плавают. Возможно, твоему щенку понадобится некоторое время, чтобы почувствовать себя уверенно в воде, но в целом собакам обычно очень нравится плавать. Некоторые породы собак – пловцы по своей природе. Например, порода ньюфаундленд была выведена специально, чтобы собаки могли вытягивать рыбацкие сети из воды и спасать утопающих. У этих собак между пальцами есть перепонки, которые помогают собаке быстрее плавать.

Умеют ли собаки карабкаться?

Обычно собаки не очень хорошо умеют карабкаться. Говорят, что некоторые из них могут таким образом выбраться из замкнутого пространства, но это исключение из общего правила. Во время соревнований, в качестве одного из заданий, собаке нужно перелезть через вертикальную стену высотой почти два метра, но большинство собак не столько карабкается по стене, сколько быстро забегает наверх, цепляясь за поверхность.

Собаки бегают галопом, только когда им нужно развить большую скорость. Это приводит к тому, что собака тратит много энергии, поэтому такой бег подходит только для коротких дистанций. Некоторые породы, например грейхаунды – чемпионы среди собак. На коротких расстояниях они могут развивать фантастическую скорость.

Гибкость – тоже важное качество для собак. Некоторые собаки умеют поворачиваться в прыжке, чтобы поймать мяч или даже птицу. Другие могут пролезть в узкие подземные норы и даже поворачиваться в них. Колли и другие пастушьи собаки по малейшему сигналу могут припасть к земле, а потом вскочить и снова броситься выполнять команду хозяина.

что **нужно** твоему **щенку**

У всех щенков есть основные потребности. Как и людям, им нужна пища и вода, чтобы выжить, а также ежедневный уход, чтобы они были сильными и здоровыми.

В течение нескольких первых дней корми своего нового друга тем же, чем его кормили прежние хозяева, — это нужно, чтобы у собаки не возникло проблем с желудком.

Необходимо, чтобы у щенка всегда стояла миска с чистой питьевой водой. Конечно, придется следить, чтобы вода была свежая и чистая, — это очень важно для здоровья щенка.

Как и детям, щенку нужна защита от заболеваний. Прививки помогут щенку не болеть. Прививки, или вакцинация, — это уколы в складку кожи на задней части шеи. Это совсем не больно, хотя щенок может слегка вздрогнуть во время укола.

Если щенок плохо себя чувствует, нужно отвести его к ветеринару. Прием проходит примерно так же, как у нас, когда мы приходим к врачу. Ветеринар осмотрит щенка и проверит его глаза и желудок, прежде чем что-либо посоветовать или начать лечение.

Если твой щенок плохо себя чувствует, подумай, чего тебе хочется, когда ты болеешь. Возможно, щенку нужен покой, или ему будет приятно, если ты просто нежно его погладишь. Вероятно, щенку не захочется играть с тобой. Постарайся проследить, чтобы щенок не замерзал, а если он не поправляется или отказывается есть дольше суток, нужно обратиться к ветеринару.

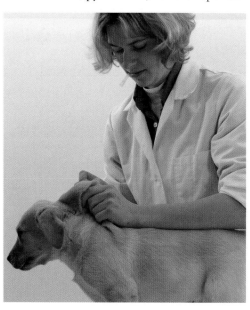

Вверху: *Щенок спаниеля на приеме у ветеринара.*

Слева: *Щенку лабрадора в возрасте девяти недель делают прививку в складку кожи на задней части шеи.*

Справа: *Необходимо, чтобы у щенка всегда стояла миска с чистой питьевой водой.*

Как понять,
что щенок заболел
- Щенок отказывается от еды.
- Щенок пьет больше, чем обычно.
- У щенка расстройство желудка или его тошнит.
  - Щенок кажется уставшим, он не хочет двигаться или играть.

Шоколад – это вредно
Шоколад очень вреден для собак, щенок может отравиться даже небольшим кусочком. Однако в зоомагазинах ты можешь найти лакомства, напоминающие шоколад. Они сделаны из других ингредиентов и поэтому безопасны для здоровья щенка.

Школа для щенков
Специальные занятия по уходу за щенком не только полезны, они могут стать для вас обоих отличным развлечением. На этих курсах тебя и членов твоей семьи научат, как правильно заботиться о щенке и обучать его.

На таких занятиях щенок может подружиться с другими собаками такого же возраста – совсем как дети в школе. На некоторых курсах даже есть специальные переменки, когда собак отпускают с поводков, и они могут поиграть друг с другом. Подобные игры научат щенка правильно вести себя с другими собаками и радоваться их компании.

Если ты решишь пойти со своим щенком на подобные занятия, спроси совета у ветеринара – врач может подсказать хорошие курсы, или кто-нибудь из соседей, у кого есть собака, может помочь тебе с выбором.

В большинстве случаев щенков принимают на курсы вскоре после того, как они пройдут вакцинацию. Убедись, что щенок уже привык к ошейнику и поводку, и захвати с собой какое-нибудь лакомство, чтобы вознаградить щенка за старания.

Кровать
Каждому щенку нужно место для отдыха. Это может быть специальная пластиковая кровать для собак, с одеялом внутри, кровать из мягкой ткани, ящик или даже картонная

Слева: *Возможно, это очень мило, когда маленький щенок спит с тобой в кровати, но не забывай — он очень скоро вырастет. Лучше с самого начала приучить щенка спать в его собственной постели.*

коробка, но в любом случае постель щенка должна быть расположена так, чтобы ему было спокойно и его никто не беспокоил во время сна.

Некоторым щенкам нравится грызть свою кровать или жевать одеяло. Особенно привлекательными им кажутся плетеные корзины, но они могут быть опасны для щенка. Кровати, сделанные из других материалов, более безопасны.

Будет лучше, если щенок будет спать в своей кровати, а ты в своей! Поначалу может быть очень мило, что щенку нравится спать вместе с тобой, но представь, каково тебе будет в одной кровати со взрослой и большой собакой.

Ошейник и поводок

Очень важно, чтобы твой щенок привык носить ошейник и ходить на поводке. Лучше всего подойдут ошейник и поводок, сделанные из нейлона или кожи. Не стоит использовать цепь в качестве ошейника или поводка — она слишком тяжелая, к тому же, если такой ошейник сильно затянуть, щенок может испугаться. Сначала щенок попытается снять ошейник, но если ты не обратишь на это внимания и начнешь с ним играть, он вскоре о нем забудет.

Упражнения

Всем собакам нужна физическая активность. Это не только важно для здоровья, но еще и помогает развивать умственные способности собаки. Насколько активной должна быть твоя собака, зависит от ее возраста и породы.

Щенки в возрасте до шести месяцев долж-

Почему собаки сворачиваются калачиком

Дикие собаки перед тем, как лечь спать, выкапывают себе неглубокую нору. Потом они поворачиваются в ней несколько раз, чтобы утрамбовать землю и устроиться поудобнее. Твой щенок тоже делает так перед сном.

Вверху: *Проследи, чтобы твой щенок достаточно бегал и играл. Ему обязательно понравится гоняться за игрушкой, которую ты ему бросишь, и приносить ее обратно тебе.*

Учимся ходить на поводке

Позволь щенку походить по дому в ошейнике, к которому пристегнут поводок, чтобы он просто волочился за щенком по полу. У собак очень чувствительная шея, поэтому никогда не тяни за поводок, чтобы заставить щенка идти за тобой. Если он идет в другую сторону, просто остановись, а потом позови его за собой, предложив лакомство или игрушку. Если щенок постоянно тянет поводок, попробуй надеть на него шлейку. Если шлейка правильно надета, она не будет мешать щенку, к тому же она гораздо меньше, чем ошейник, давит на шею собаки.

ны упражняться часто, но понемногу. Не стоит их слишком утомлять. После года собака может резвиться столько, сколько ей хочется, причем всем собакам нужно гулять на улице хотя бы один раз в день. Это дает им возможность увидеть, услышать и понюхать много интересного и поиграть с другими собаками.

В огороженном и безопасном месте можно отпустить щенка с поводка, чтобы он вдоволь побегал и поиграл, но обязательно научи его возвращаться к тебе, когда ты его зовешь.

Путешествуем в безопасности

Многих щенков тошнит во время первой поездки в транспорте. Когда они подрастают, это проходит, особенно если они понимают: путешествие в машине означает, что их привезут в новое и интересное место. Чтобы успокоить щенка во время поездки, вози его в специальном дорожном ящике-переноске для собак или же попробуй уговорить его спокойно полежать. Существуют также специальные ремни безопасности для собак.

Слева: *Сначала щенку будет не очень удобно в ошейнике, но скоро он привыкнет.*

Список самого необходимого
● Вода ● Еда ● Миска для воды
● Миска для еды
● Щетка и расческа
● Поводок и ошейник
● Кровать или ящик и одеяло

учимся **вести** себя **дома**

играть. Если же он, наоборот, слишком бурно реагирует и не хочет вести себя спокойно, немедленно выйди из комнаты и закрой за собой дверь. В следующий раз попроси взрослых помочь тебе.

Дай понять щенку, что тебе больно, когда он тебя кусает.

Твой щенок любит кусаться

● Почему щенку нравится все кусать?

Большинство щенков пытается пожевать все, что попадает им на глаза, и, хотя это нормальное поведение для щенка, не очень-то приятно, если он жует тебя! Но ведь для этого и нужны зубы – так щенок учится понимать, что из окружающего – живые существа, а что – предметы.

Ничего страшного, если щенок грызет палку или игрушку, но если он кусает тебя, нужно дать ему понять, что тебе больно. Когда щенки играют, они кусают друг друга за лапы и хвосты. Однако если один щенок слишком сильно укусит другого, тот начнет громко скулить, чтобы показать, что ему больно.

● Что делать?

Чтобы объяснить щенку, что тебе больно, когда он тебя кусает, притворись, что ты тоже щенок! Каждый раз, когда твоя собака будет пытаться укусить тебя, не двигайся, сложи руки на груди и начинай громко скулить. Если при этом щенок прекратит тебя кусать и успокоится, то можно продолжать

Родителям на заметку

Это нормально, когда маленький щенок все вокруг кусает. Если дать понять щенку, что подобное поведение может иметь неприятные последствия, постепенно он будет кусаться не так больно, а потом, через четыре-шесть недель, и вовсе прекратит. Очень важно, чтобы дети оставались спокойными и просто замирали, если щенок начинает больно кусаться. В такой ситуации будет полезно также выходить из комнаты и на несколько минут оставлять щенка в одиночестве.

Щенки со временем понимают, что, кусаясь, они могут сделать друг другу больно.

Зубы

У собак, как и у людей, два набора зубов. Первый набор – это молочные зубы, совсем как у маленьких детей. Со временем они начинают шататься, а потом, когда щенку будет около пяти месяцев, они постепенно начнут выпадать. Иногда можно даже найти один или несколько молочных зубов твоего щенка на полу, в том месте, где он играл или что-то грыз.

Вскоре после этого у щенка появляются постоянные зубы. В отличие от заостренных молочных зубов, постоянные зубы более закругленные. С ними собаке предстоит жить всю жизнь. Так же, как и нам, собакам нужно чистить зубы – тогда они будут чистыми и здоровыми. В зоомагазине можно купить специальную зубную щетку и ароматизированную зубную пасту.

Домашнее воспитание

● **Почему щенок ходит в туалет не там, где надо?**

Щенку нужно запомнить, где и когда он может ходить в туалет, а значит, он должен понять, что это нельзя делать дома! Однако стоит помнить, что маленькие щенки, как и маленькие дети, еще не умеют полностью контролировать себя, особенно ночью. Так будет продолжаться, пока щенку не исполнится три или четыре месяца. Впрочем, если внимательно следить за щенком, он очень быстро запомнит, что дом нужно содержать в чистоте.

● **Что делать?**

Щенку нужно ходить в туалет после того, как он поиграл, когда он только что проснулся, после любых ярких впечатлений (это очень похоже на то, как ты возвращаешься домой из школы) и сразу же после еды. В такие моменты нужно выйти вместе со щенком на улицу, каждый раз в одно и то же место, и обязательно подождать его, даже если идет дождь. Если ты будешь ласково повторять одни и те же слова, например, «поторопись», щенок быстрее запомнит, для чего вы вышли на улицу.

Как только щенок начнет обнюхивать землю или кружиться на месте, похвали его. Как только он сходит в туалет, похвали его еще несколько раз и угости чем-нибудь вкусным.

Если кажется, что щенок не хочет в туалет, возвращайтесь домой. После этого внимательно наблюдай за собакой. Если щенок начинает нюхать пол или кружиться на месте, значит, ему нужно в туалет. Если ты не можешь все время наблюдать за щенком, посади его в ящик, в специальный манеж или в любое огороженное пространство – так будет легче убирать за ним в случае маленькой неприятности.

Если ты заметил, что щенок собирается сходить в туалет в доме, скажи громко: «На улицу!», быстро подхвати его, вынеси на улицу и покажи, где он должен ходить в туалет – даже если уже поздно!

Никогда не ругай щенка, если он сходит в туалет дома. Ведь это значит только то, что ты недостаточно внимательно за ним следил!

«Ой!»

Собака прыгает оттого, что рада тебя видеть, но помни, что она может нечаянно сбить человека с ног.

Прыжки

● Почему щенок подпрыгивает?

Ты, наверное, знаешь, что щенок прыгает на тебя потому, что очень тебя любит. Собакам нравится быть как можно ближе к твоему лицу, а некоторые даже пытаются залезть к тебе на колени, когда ты сидишь. То, что щенок прыгает на тебя, может быть забавно, если на тебе старая одежда и ты не боишься, что щенок запачкает ее грязными лапами. Но если щенок поймет, что ты не против того, чтобы он на тебя прыгал, он, возможно, будет прыгать и на других людей. Это может быть не очень приятно, а иногда даже опасно, ведь собака может сбить человека с ног.

● Что делать?

Подумай, как бы тебе хотелось, чтобы щенок приветствовал тебя. Возможно, он должен садиться или приносить игрушку? Пока твой щенок не научится этому, игнорируй его прыжки. Отворачивайся от него и складывай руки на груди, но если щенок сидит и ведет себя спокойно – не забудь похвалить и погладить его.

Потом тебе понадобится помощь друга. Держи щенка на поводке или попроси взрослого подержать его. Когда твой друг войдет, он не должен обращать на щенка никакого внимания. Попроси его смотреть на небо, на деревья, на потолок – куда угодно, но не на щенка, и так до тех пор, пока собака не успокоится! Как только щенок сядет или ляжет, твой друг должен похвалить его за это, но если щенок опять начнет прыгать, нужно встать и отвернуться от него.

Собаки любят быть как можно ближе к тебе, но стоит объяснить щенку, что он не должен лизать у человека лицо, ведь это может не понравиться твоим друзьям и гостям.

Любитель все погрызть

● **Почему щенку нравится все грызть?**

Собакам нужно что-то грызть! Особенно щенкам, когда у них режутся постоянные зубы – это уменьшает болезненность десен.

К сожалению, собаки не понимают разницы между палкой и мебелью или между старым тапком и новеньким ботинком. Если у твоего щенка не будет специальных игрушек, которые можно погрызть, он будет грызть что-то из твоих вещей!

● **Что делать**

Купи своему щенку специальные игрушки, предназначенные для того, чтобы собака их грызла. В зоома-

газинах ты даже можешь найти игрушки, наполненные едой, – подобные игрушки выпускает, например, компания Kong. Когда собака будет грызть такую игрушку, из нее будут высыпаться кусочки лакомства. Будь уверен, щенку это понравится!

Это вполне естественно, что твоему щенку нравится копать. Проследи, чтобы он делал это в месте, где от этого не будет никакого вреда.

Копание

● Почему щенку нравится копать?

Это вполне естественно, что твоему щенку нравится копать, к тому же для него это нечто вроде веселой игры! Некоторым породам, например терьерам, это особенно свойственно. Диким собакам часто приходится копать: таким образом они охотятся за добычей, которая спряталась под землей, ищут съедобные коренья, прячут что-то из еды про запас. Дикие собаки также выкапывают норы, в которых им будет удобно спать или где можно спрятать щенков в случае опасности. Многие щенки копают еще и потому, что им просто скучно!

● Что делать?

Попроси кого-нибудь из взрослых помочь тебе сде-

лать для щенка специальное место во дворе, где он мог бы копать. Выкопай яму, а потом заполни ее землей, смешанной с песком. В этом месте не будет задерживаться вода, и щенок не слишком испачкается, пока будет копать.

Щенок должен видеть, как ты выкапываешь яму, а потом прячешь в ней что-то интересное, например, кость или игрушку. Пусть щенок откопает этот предмет и поиграет с ним. В течение следующих несколько недель или месяцев продолжай что-нибудь прятать в этой яме. Если щенок будет знать, что именно в этом месте он может найти что-то интересное, он не будет копать где-то еще.

Лай

● Почему щенок лает?

Собаки могут лаять по нескольким причинам: чтобы предупредить тебя, что рядом кто-то посторонний, чтобы привлечь твое внимание, показать, что им страшно или одиноко, или же чтобы прогнать какое-то животное или человека. Некоторые собаки могут лаять просто от радости.

● Что делать?

Следи за тем, чтобы случайно не выразить одобрения, когда щенок лает. Некоторые смеются или хвалят щенка, когда он в первый раз залает, если кто-то пришел, или во время игры. В таком случае, скорее всего, щенок и дальше будет так делать. Другие, наоборот, кричат на собаку, если она начинает лаять, но щенок может воспринять это как похвалу.

Когда щенок начинает лаять, оставайся спокойным и говори тихо, тогда собаке придется перестать лаять, чтобы услышать тебя. Если же щенок лает от скуки или одиночества, предложи ему поиграть с интересной игрушкой.

Собака может лаять по разным причинам. Этому щенку – помеси терьера и колли – двенадцать недель. Лаем он просит дать ему игрушку.

Щенку все кажется игрушкой! Дай ему что-нибудь погрызть, и он не будет воровать твои вещи.

Маленький воришка

● **Почему щенок ворует твои вещи?**

Ради развлечения! Как и ты, щенок любит повеселиться, и если он видит, что, украв что-то, он привлечет к себе внимание, он будет повторять это снова и снова. Некоторые щенки, стащив какую-либо вещь, убегают с ней, некоторые начинаю ее грызть, а некоторые просто ждут, что произойдет дальше. Однако это может быть опасно, если щенок что-то проглотит, и уж точно неприятно, если он будет грызть твои любимые игрушки, книги или ботинки.

● **Что делать?**

Убедись, что щенок не сможет добраться до самых дорогих вещей – собери их и спрячь подальше. Щенкам особенно нравятся носки, ручки и ботинки. Если щенок стащил то, что ему не следовало брать, не гоняйся за ним – этим ты только больше его раззадоришь. Вместо этого позови его, а когда заберешь у него украденную вещь, похвали и угости чем-нибудь вкусным.

Разные виды лая

То, как именно щенок лает, поможет тебе понять, что он чувствует или думает. Например, короткий, рычащий лай – это сигнал тревоги. Так щенок предупреждает своих друзей и членов семьи об опасности. Собаки так лают, когда они немного испуганы – например, если услышат какой-то шум на улице. В таком случае просто не обращай на щенка внимания, пока он не успокоится.

Короткий, частый лай означает: «Держись от меня подальше». Щенок может так лаять на других собак или на людей, если ему страшно или он чувствует угрозу. Также собаки могут лаять от радости или возбуждения. В таком случае они лают на более высокой ноте, одновременно повизгивая и поскуливая.

Иногда собаки воют оттого, что им одиноко. А бассет-хаунды или бладхаунды, например, могут выть и просто от переизбытка чувств.

Щенок ворует еду?

Некоторые щенки воруют еду из тарелок сидящих за столом людей или едят с руки. Убедись, что щенок не таскает пищу у тебя из тарелки, и ничем не угощай его, пока ешь.

дружба, охрана и уважение

Собакам нужна дружба – именно поэтому они такие хорошие домашние питомцы. Дикие собаки живут группами, которые называются стаями. Вместе им легче охотиться за большой добычей, они согревают и охраняют друг друга, и просто дружат между собой.

Когда в стае диких собак или волков рождается щенок, многие взрослые собаки помогают его маме кормить и охранять малыша.

Они ведут себя как твои тети и дяди, которые так о тебе заботятся.

В большинстве семей обычно живет только одна собака, поэтому для щенка очень важно подружиться со всеми членами семьи. Если же у тебя две или несколько собак, обязательно проводи время с каждой из них, чтобы подружиться со всеми. Очень важно, чтобы собаки не только дружили между собой, но и считали тебя своим другом.

Проводи время со своим щенком

Очень важно, чтобы ты проводил время со своим щенком, постарался подружиться с ним и дрессировал его. Представь, что кто-то из твоих друзей не обращает на тебя внимания и все время сидит перед телевизором или компьютером вместо того, чтобы поиграть с тобой – ваша дружба не будет длиться долго! Щенкам нравится, чтобы с ними играли, занимались и, конечно, дружили. Если ты каждый день уделяешь достаточно внимания своему щенку, он будет готов посидеть и посмотреть телевизор вместе с тобой.

Отдыхайте друг от друга

Важно не только проводить много времени вместе со щенком, но и отдыхать друг от друга. Конечно, вы в любом случае расстаетесь, когда ты, например, уходишь в школу или гуляешь с друзьями. Но иногда, даже когда ты дома, тебе нужно сосредоточиться на каком-то задании, или ты просто хочешь поиграть с кем-то из друзей, а не со щенком. В этом нет ничего страшного, ведь и щенку тоже нужен отдых.

В течение первых нескольких месяцев щенку нужно много спать. Поэтому у него должна быть кровать, стоящая в укромном месте, где его никто не потревожит. Если не давать щенку отдохнуть, он может стать раздражительным или загрустить, так что постарайся не переутомлять щенка.

Уважение

Самая крепкая дружба основывается на взаимоуважении. Это значит, что вы должны быть добры друг к другу и понимать, что можете быть в чем-то друг с другом не согласны. Ты должен с уважением относиться к своему щенку, и он тоже должен научиться уважать тебя.

Есть несколько правил поведения по отношению к собакам. Нельзя толкать, дергать, щипать или шлепать собаку, нельзя кричать на нее. Если щенок начал тебя раздражать, отдохни от него и займись чем-то другим. Если ты не уверен, как правильно себя вести, спроси совета у кого-то из взрослых, особенно если щенок плохо себя ведет. Собаки не могут сказать, когда они себя плохо чувствуют или слишком устали, чтобы играть. Будь терпелив к щенку – ведь у всех бывают хорошие и плохие дни.

Некоторым собакам нравятся подвижные и шумные игры, но помни, что щенку тоже нужно отдыхать.

игры

Щенки любят играть. Если ты понаблюдаешь, как собаки играют друг с другом, то поймешь, что их игры не похожи на игры детей. У собак нет рук, чтобы держать бейсбольную биту, кидать мяч или управлять компьютерной мышкой. Вместо этого в играх они пользуются лапами, пастью и всем телом. А значит, щенку нужно дать понять, что он должен играть с тобой не так, как со своими друзьями-собаками.

Многим нравится повозиться со щенком на полу, однако это может быть большой ошибкой. То, что щенок кусает тебя за руки и за ноги, может показаться забавным, но представь, что будет, когда он вырастет. Собака не должна кусать человека. Ожидать от щенка, чтобы он догадался, что можно играючи кусать тебя, но нельзя кусать других детей – значит требовать от него слишком многого. Многим собакам достается за то, что они кого-то укусили. Постарайся уберечь своего щенка от таких проблем. Существует множество других веселых и в то же время безопасных игр (см. стр. 82–89). Такие игры помогут показать, как дорог тебе твой щенок.

Родителям на заметку

Не только дети должны соблюдать осторожность, играя со щенком. Многим взрослым нравится в шутку бороться с собакой. Они уверяют, что это неопасно, так как они вполне способны «победить».

Если вы не уверены, что те игры, в которые вы играете со щенком, безопасны, задайте себе один вопрос: если щенок начнет так же играть с четырехлетним ребенком в парке, это будет не опасно?

Если вам кажется, что ребенок или его родители могут испугаться, или вы думаете, что собака может укусить ребенка – ВНИМАНИЕ! Вам стоит подумать о более подходящих играх для щенка.

Шум

Некоторые щенки спокойные, а другим нравится лаять. Если твой щенок начинает лаять от переизбытка чувств, не стоит его поддерживать и начинать кричать и шуметь вместе с ним. Вместо этого прерви игру на несколько минут, пока щенок не успокоится, а потом можете снова начинать играть.

Чистоплотность

Обычно собаки очень чистоплотны. Им не нравится быть грязными, и они предпочитают ходить в туалет подальше от того места, где едят или спят.

Существуют болезни, которыми человек может заразиться от собаки, и даже несколько таких, которыми щенок может заразиться от человека. Однако их легко избежать, если соблюдать следующие правила:

- всегда мой руки перед едой;
- если ты играл со щенком на улице, помой руки, когда возвращаешься домой;
- не пользуйся посудой, из которой ест щенок;
- не позволяй щенку лизать твое лицо или твою еду!

Сверху вниз: *Этот двенадцатинедельный щенок ищейки гораздо младше и меньше ростом, чем его подруга — помесь лабрадора и золотистого ретривера, но он не дает ей спуску. Тебе может показаться, что собаки больно кусают друг друга, но на самом деле они очень весело играют.*

Родителям на заметку

Большинство заболеваний, передающихся от собак человеку, связаны с паразитами. Простейшие правила гигиены уберегут от них вашу семью. Щенка стоит регулярно проверять на предмет глистов и блох, а когда собака сходит в туалет во дворе — сразу же убирайте за ней. У некоторых детей может быть аллергия на шерсть; если вы волнуетесь по этому поводу — проконсультируйтесь у врача.

общение

Представь, что ты ни разу не выходил из дома, никогда не был в школе и никогда не играл с друзьями. Жизнь была бы очень скучной! Для многих щенков она бывает именно такой до того момента, пока их не заберут в новый дом.

Неожиданно вокруг них появляется

Щенкам и молодым собакам интересно сталкиваться со многими вещами, которые кажутся им необычными, знакомиться с разными людьми...

много нового: звуки телевизора и жизнедеятельности людей, шум машин, запахи других животных. Представь, какой это шок для щенка.

Чтобы твой щенок чувствовал себя уверенно, не боялся и был дружелюбен, когда вокруг много людей, другие собаки и все, с чем можно встретиться в округе, он должен видеть регулярно. Важно, чтобы щенок узнал как можно больше об окружающем мире, пока не повзрослел, иначе потом

он будет пугаться всего незнакомого.

Это значит, что тебе предстоит выполнить очень интересное задание. Каждый день твой щенок должен сталкиваться с кем-то или чем-то новым. Дома это может быть, например, звук работающей стиральной машины, а на улице — то, как ты катаешься на велосипеде.

Всегда следи за тем, чтобы щенку ничего не угрожало. Негативный опыт даже хуже, чем отсутствие опыта.

Общаться можно и не выходя из дома

Если твоему щенку еще не сделали все необходимые прививки, не стоит волноваться, вам все равно будет, чем заняться. Спроси у родителей своих друзей, не против ли они, чтобы ты пришел к ним в гости вместе со щенком. Ты можешь также, если твои родители не возражают, пригласить друзей к себе и познакомить их со своим питомцем. Твой щенок может даже познакомиться с собаками твоих друзей, если они дружелюбны и им уже сделали все необходимые прививки.

Список «знакомств»

Посмотри, сколько всего интересного твой щенок может узнать за неделю.

В доме

- Работающая стиральная машина или фен
- Работающий пылесос
- Телефонный звонок
- Включенный телевизор
- Разговоры людей между собой
- Пение людей
- Гости, которые приходят к тебе

В доме и на улице

- Незнакомые мужчины и женщины
- Мужчина с бородой
- Человек в очках
- Человек в шляпе
- Человек в шлеме
- Человек с тростью
- Человек с зонтиком
- Пять разных мальчиков и девочек

Знакомство с другими собаками

- Большие или маленькие взрослые собаки
- Черные или коричневые взрослые собаки
- Светло-песочные или белые взрослые собаки
- Другой щенок

...и учиться вести себя в разных, порой очень неожиданных, ситуациях.

Знакомство с другими животными

- Лошадь
- Кошка
- Какое-либо другое животное

Путешествие

- Поездка на машине
- Поездка на автобусе
- Поездка на поезде или на метро
- Поездка на лодке

На улице

- Детская коляска или тележка для покупок
- Трактор или грузовик
- Прогулка по траве (например, в парке или в поле)
- Прогулка по пешеходной зоне (например, по улице, где много магазинов)
- Прогулка вдоль улицы

- Другой дом или двор
- Посещение магазина, в который можно заходить с собаками
- Наблюдение за людьми, входящими и выходящими из супермаркета (но не оставляй щенка одного на привязи)

Никаких утешений

Иногда щенки пугаются, когда сталкиваются с чем-то незнакомым. Хотя тебе очень захочется обнять щенка, чтобы успокоить его, не стоит этого делать. Подожди, пока он не почувствует себя более уверенно, а потом погладь и похвали его. Чем больше будет людей и собак, с которыми познакомится твой щенок, тем смелее он станет. Щенку понравится гулять с тобой, и он будет так же рад видеть твоих друзей, как и ты.

На этой странице ты видишь фотографии девяти щенков.

Им всем по восемь недель, но только посмотри, какие они все разные.

Представь, каково было бы оказаться одним из них и повстречать на улице другого щенка.

Всех щенков фотографировали рядом с одним и тем же ботинком, чтобы тебе было легче понять, какого они размера.

Салюки

Английский спрингер-спаниель

Помесь кавалер-кинг-чарлз-спаниеля и шпица

Бордер-колли

Йоркширский терьер

Знакомство с другими собаками

Пока твой щенок еще маленький, ему нужно знакомиться с другими собаками. Это поможет ему научиться правильно с ними общаться и играть. Собаки других пород, возможно, поначалу покажутся щенку очень странными. Со временем он поймет, что собаки выглядят и пахнут по-разному, у них разные голоса, и даже ведут себя по-разному, но это все равно собаки!

Только подумай, как чувствует себя маленький йоркширский терьер, когда он в первый раз видит немецкую овчарку, которая в четыре с половиной раза больше него! Лай собак тоже различен, а некоторые породы, например басенджи, и вовсе не умеют лаять – вместо этого они издают странный протяжный звук.

У некоторых собак стоячие уши, а у других – висячие.

Хвосты также бывают разные и могут рассказать о том, как собака себя чувствует. Сравни, как выглядит ретривер, радостно помахивающий длинным хвостом, и мопс.

Иногда к тому, как выглядит шерсть собаки, тоже придется привыкать. Две крайности – это бобтейл, настоящий живой ковер, и мексиканская голая собака, у которой, как понятно из названия, вообще нет шерсти.

Некоторые породы собак совершенно не похожи на остальных, например лхасский апсо, чау-чау или шарпей.

Знакомства

Когда гуляешь с щенком в каком-либо безопасном месте, попробуй отпустить его с поводка, или ослабить поводок, чтобы он мог познакомиться с другими собаками. Если ты держишь щенка на слишком коротком поводке, он может испугаться других собак, потому что будет думать, что не сможет убежать от них в случае необходимости.

Немецкая овчарка

Шнауцер

Кавалер-кинг-чарлз-спаниель

Помесь паттердейл-терьера и джек-рассел-терьера

уход
за щенком

Как правильно гладить щенка

Большинству щенков нравится, когда их гладят и похлопывают. Однако очень важно то, как именно ты это делаешь. Представь, что кто-то тебя похлопывает целый день по голове. Это будет не очень приятно и может даже закончиться головной болью.

Вместо этого, если хочешь сделать щенку приятное, погладь его ласково, например, по груди или животу. Попробуй слегка пощекотать его кончиками пальцев и погладить всей поверхностью ладони. Если щенок начинает извиваться или пытается укусить тебя – немедленно прекрати.

Очень важно внимательно осматривать щенка.

Многие щенки сами подставляют ту часть тела, которую им хочется, чтобы ты погладил, например, живот или спину. Возможно, щенок будет кататься на спине по полу, чтобы ты мог погладить его по животу.

Внимательно смотри, в каком именно месте щенку больше всего нравятся твои прикосновения, и, когда захочешь в следующий раз сделать ему приятное, погладь именно это место.

Как понять, нравится ли щенку, когда ты его так гладишь?

1. Слегка пощекочи щенку грудь, область между передних лап. Если ему приятно, он будет лежать спокойно или подвинется ближе к тебе.
2. Теперь погладь плечи и бока щенка. Он начинает извиваться и пытается убежать? Значит, стоит гладить его по-другому.
3. Попробуй погладить щенку спину. Большинству щенков не нравится, когда ты касаешься его морды, головы или хвоста, поэтому, если ты задеваешь эти места, угости щенка каким-нибудь лакомством.

Как правильно держать щенка на руках

Большинству щенков не нравится, когда их поднимают на руки или прижимают к себе. Поднимай щенка на руки только тогда, когда в этом есть необходимость и когда рядом есть кто-то из взрослых, чтобы помочь тебе. Щенок может легко вырваться у тебя из рук, спрыгнуть на пол и нечаянно пораниться или ушибиться, так что будь осторожен.

Очень важно, чтобы щенку было комфортно и удобно, когда ты держишь его на руках.

1. Одной рукой поддерживай грудь щенка так, чтобы твои пальцы были между его передних лап.
2. Другой рукой осторожно подними щенка наверх, поддерживая заднюю часть его корпуса (см. иллюстрацию справа вверху).
3. Можешь поднять щенка и поставить его на какую-либо поверхность или посадить на колени, а если несешь его куда-то, прижми его к груди.

Будь особенно осторожен, когда опускаешь щенка вниз и ставишь его на пол. Держи его

крепко. Иногда, когда щенок видит, что пол уже близко, он может попытаться спрыгнуть, если ты держишь его недостаточно крепко. При этом он может ушибиться.

Как держать щенка,
если тебе...

От 4 до 7. Лучше не поднимать щенка самому, попроси кого-нибудь из взрослых помочь тебе.

От 7 до 10. Поднимай щенка на руки только тогда, когда рядом есть взрослый человек, который может помочь тебе.

От 10 до 14. Поднимай щенка на руки только тогда, когда в этом действительно есть необходимость. Следуй правилам, перечисленным в разделе «Как правильно держать щенка на руках».

Родителям на заметку

Если ребенок нечаянно уронит щенка или будет неправильно держать его, это может нанести собаке непоправимый физический и эмоциональный вред, а также может быть потенциально опасно для вашего ребенка. Предложите ребенку осматривать щенка и ухаживать за ним на полу или помогите ему поднять собаку и поставить ее на какую-либо нескользкую поверхность.

Как осматривать щенка

Ежедневно осматривай щенка – тогда ты первым заметишь, если он заболеет или поранится. Таким образом ты подготовишь его к визиту к ветеринару. Если у тебя есть игрушечный стетоскоп, то с его помощью ты можешь даже услышать, как бьется сердце щенка!

Как удержать щенка на месте

Как бы щенок ни старался убежать, не пытайся удержать его, хватая за кожу, шерсть или хвост. Лучший способ остановить его – держать за ошейник или поводок. Не забывай, что ошейник надевается щенку на шею, а это очень чувствительная зона. Если ты будешь тянуть или дергать за поводок или ошейник, ты можешь сделать щенку больно. Угости щенка лакомством или дай ему игрушку, чтобы подозвать к себе или отвести куда-то.

Каждый день внимательно осматривай щенка, чтобы проверить, здоров ли он.

Это важно

На фотографиях показано, как Питер осматривает своего щенка. Это мама помогла ему поднять щенка на стол. Иначе Питер осматривал бы его на полу.

Осмотр передних лап.

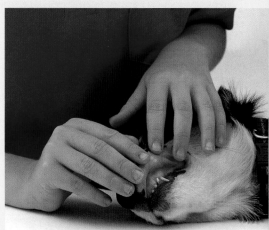

Осмотр зубов.

Осмотри щенка с головы до ног

1. Пока щенок стоит, внимательно осмотри его глаза. Если тебе нужно отвлечь внимание собаки, используй игрушку или какое-либо лакомство.
2. Осмотри уши щенка. Отодвинь висячую часть уха и внимательно осмотри ушной канал. Похвали щенка, если он сидит спокойно.
3. Подними верхнюю губу щенка, сначала с одной стороны, а потом с другой так, чтобы

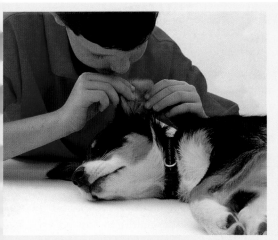

Осмотр ушей.

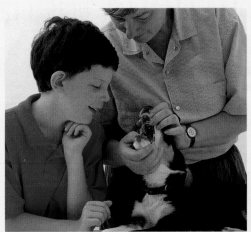

Откройте щенку рот, чтобы осмотреть язык.

Осмотр глаз.

Осмотр задних лап.

были видны десны. Потом аккуратно раскрой щенку рот, чтобы можно было осмотреть язык и горло. Будь очень осторожен. Похвали щенка.

4. Осмотри шею и плечи щенка. Тщательно ощупай его, двигаясь сверху вниз по передней части лап. По очереди подними лапы щенка и осмотри когти, ступни и подушечки.

5. Снова вернись к осмотру плеч щенка. Проведи рукой от плеч к крестцу

и обратно к рёбрам. Ты их чувствуешь?

6. Осмотри задние лапы щенка и область между ними. Подними по очереди лапы и осмотри их так же, как передние.

7. В конце осмотра погладь щенка по всему телу, с головы до кончика хвоста. Будь очень спокоен и ласков со щенком во время осмотра. Угощай его лакомствами, если он хорошо себя ведёт, и поиграй с ним, когда закончишь.

гигиена щенка

Зачем ухаживать за шерстью щенка

Как и тебе, щенку так же необходимо соблюдать основные правила гигиены. За собакой нужен постоянный уход, чтобы шерсть не спутывалась, кожа оставалась здоровой и от щенка не пахло. Кожа собаки вырабатывает много масел, чтобы шерсть хорошо выглядела и не намокала, однако, если не ухаживать за щенком, от него будет не очень приятно пахнуть.

Как и люди, собаки чувствуют себя лучше, когда они чистые и аккуратные. Даже короткошерстных собак нужно

Расчесывать нужно всех собак, а длинношерстных — особенно часто.

регулярно расчесывать. Всем собакам нужно чистить уши, зубы и когти. Иногда им нужно еще и принимать ванну!

Как ухаживать за шерстью щенка

Расчеши щенка специальной щеткой

Убедись, что щетка подходит для типа шерсти и кожи твоего щенка. Расчесывай осторожно, по направлению роста волос. Когда расчесываешь длинную шерсть, не дергай и не тяни щетку, даже если шерсть спуталась. Постарайся распутать узелок с помощью расчески или попроси кого-либо из взрослых помочь тебе.

Когда щенок стоит, отвлеки его внимание с помощью лакомства, а второй рукой в это время расчеши его. Все время хвали его за хорошее поведение. После того как ты несколько раз расчешешь щенка, он будет стоять спокойно даже без вкусного угощения. Однако обязательно дай ему лакомство после того, как закончишь расчесывать, чтобы похвалить за хорошее поведение.

Расчеши щенка расческой

Пригладь расческой короткую шерсть на морде и ушах щенка. Будь осторожен, чтобы не поцарапать кожу и не задеть глаза.

Почисти щенку уши

Щенку необходимо регулярно чистить уши. Протри нависающую часть уха и все остальные его видимые части мягкой салфеткой или влажным ватным тампоном. Никогда не пытайся протолкнуть что-то в глубь уха щенка – даже небольшой ватный шарик может повредить барабанную перепонку и тем самым навредить слуху собаки. Если из уха плохо пахнет или есть коричневые выделения, возможно, твой щенок заболел. Скажи кому-нибудь из взрослых, что его необходимо отвести к ветеринару.

Типы расчесок

Существует множество различных видов расчесок, которые подойдут для твоего щенка. То, какая именно расческа нужна, зависит от длины шерсти, но самое главное, чтобы щенку было приятно, когда его причесывают. Идеальны резиновые щетки. Они не только расчесывают шерсть и удаляют отмершие волосы, но и массируют кожу щенка. Если ты не уверен, подойдет ли щенку новая расческа и не будет ли ему больно, попробуй сначала сам ею причесаться!

Почисти щенку зубы

Как и людям, собакам необходимо чистить зубы. Почистить собаке зубы не сложно, если ее приучили к этому с детства. Специальная зубная паста для собак сделана с использованием нужных ингредиентов – она не пенится и не имеет мятного вкуса, зато часто бывает со вкусом курицы или печени!

Выдави немного пасты на палец или специальную зубную щетку, которая одевается на палец. Аккуратно пальцем или щеткой почисти зубы и десны щенка, двигаясь по направлению спереди назад и от десны вниз к зубу. Таким образом ты удалишь остатки пищи, застрявшие между зубов, и помассируешь десны собаки.

Чисти каждый зуб всего несколько секунд, пока щенок не привыкнет к этому, и обязательно дай ему что-нибудь в награду за то, что он вел себя спокойно. Постепенно собака привыкнет, и ты сможешь почистить все зубы за один раз.

*Щетка (**вверху**) и расческа (**справа**) используются в разных случаях. На иллюстрации в центре ты видишь множество разнообразных расчесок и щеток.*

Слева: *Щенки чистят зубы, когда что-то грызут. Убедись, что игрушка, которую грызет твой щенок, безопасна. Кость может расколоться и поранить щенка.*

Справа: *Тщательно вытри щенка. Как и человек, щенок может простудиться после купания, если его плохо вытереть.*

Искупай щенка

В отличие от людей, собакам нужно мыться всего несколько раз в год, за исключением случаев, когда они сильно испачкались или от них плохо пахнет. Слишком часто мыть собаку нельзя, так как это вредно для ее шерсти.

Чтобы помыть щенка, необходимы:
● Кто-то из взрослых, кто поможет тебе поднимать и держать щенка.
● Ванна или таз, в зависимости от размера щенка.
● Специальный шампунь для собак.
● Теплая вода, пластиковый кувшин или душевой шланг с разбрызгивающей насадкой, чтобы смыть шампунь с шерсти.
● Много старых полотенец, чтобы вытереть щенка.
● Щетка и расческа, чтобы щенок выглядел опрятно.

Большинству собак не нравится мыться – для них это неестественный процесс. Дикие собаки иногда плавают или плещутся в воде,

Шерсть щенка

Шерсть твоего щенка – это волосы, а не мех. На теле щенка всего несколько участков, где нет волос, это область между задних ног, рот и подушечки на лапах. У некоторых собак очень много волос в ушах, и иногда эти волосы нужно подстригать.

Совсем нет шерсти!

У некоторых пород собак совсем нет шерсти! Эти «лысые» собаки появились случайно, их не выводили специально. Таким породам, как например китайская хохлатая собака, нужна защита от солнца и от холода, и у них на коже часто бывают прыщи.

всю пену и шампунь, попроси взрослого поднять щенка и достать его из ванны.

Теперь тебе нужно будет хорошенько поработать полотенцем и вытереть щенка. Будь внимателен, он может начать отряхиваться. Некоторые говорят, что собаки отряхиваются только тогда, когда у них мокрая голова, так что попробуй мыть голову щенка в самую последнюю очередь.

Вытри щенка

Очень важно тщательно вытереть щенка после купания, иначе он может простудиться. В теплую погоду можно вытирать щенка на улице, а потом поиграть с ним, чтобы он не замерз. Некоторым собакам нравится, когда их шерсть сушат феном, но многие этого терпеть не могут. Не пользуйся феном, если твоему щенку это не нравится, – просто тщательно вытри его полотенцем.

Внизу: *Так-то лучше! Когда тебя так хорошо укутали, тебе тепло и уютно, и, кажется, сейчас самое время немного вздремнуть!*

но не моются с шампунем. Когда купаешь щенка, будь спокоен и терпелив, но готовься к тому, что промокнешь с головы до ног!

Прежде всего хорошенько намочи все тело щенка. Выдави немного шампуня в емкость с теплой водой, а потом полей щенка этой смесью и вотри шампунь в шерсть. Следи, чтобы шампунь и вода не попадали в глаза и уши щенка, – все знают, как это бывает больно.

Шампунь нужно тщательно смыть теплой водой. Убедись, что ты хорошо промыл шерсть щенка, иначе у него может начаться раздражение на коже. Когда смоешь

знаки **внимания**

Нужно ли щенку твое внимание?

Щенку нужно твое внимание, чтобы подружиться с тобой и твоей семьей и научиться правильно вести себя с другими людьми. Оказывать щенку знаки внимания – значит смотреть на него, разговаривать, играть с ним и гладить его. Старайся всегда оказывать щенку знаки внимания, если он хорошо себя ведет, и игнорируй поведение, которое тебе не нравится.

Смотри на щенка

Щенку приятно даже когда ты просто смотришь на него. Заметь, он начинает вилять хвостом, когда ты улыбаешься ему! Это значит, что, когда щенок хорошо себя ведет, его можно похвалить одним взглядом. Если щенок делает то, что тебе не нравится, например, подпрыгивает, отвернись от него.

Разговаривай со щенком

Большинству собак нравится голос хозяина, хотя они и не понимают того, что ты говоришь. Не понимая человеческого языка, они улавливают интонацию. Попробуй разговаривать со щенком мягким, нежным голосом, и ты увидишь, как сильно ему это понравится! Возможно, когда ты кричишь на щенка, ему кажется, что ты лаешь.

Вверху: *Когда играешь со щенком, внимательно смотри на него – ему это нравится!*

Справа: *Игнорировать щенка так же важно, как и играть с ним!*

Гладь щенка

Ты узнаешь, как правильно прикасаться к своему щенку (см. стр. 40). Не гладь собаку в тех местах, где ей это не нравится. Большинству щенков приятно, когда их нежно гладят по груди или животу.

а если ты обратишь на него внимание, он может подумать, что ты хвалишь его за такое поведение.

То, что щенка иногда нужно игнорировать, звучит жестоко, но это очень эффективный способ дать собаке понять, что тебе не нравится ее поведение. Например, щенок лает и хочет привлечь внимание, когда ты делаешь уроки и стараешься сосредоточиться или разговариваешь с другом по телефону. Ты хочешь сказать, чтобы он прекратил, или даже закричать на него. Но ведь собаки не понимают слов. Как ты думаешь, как воспримет твое поведение щенок? Ты посмотрел на него, что-то ему сказал и, возможно, даже дотронулся до него – значит, тебе нравится то, как он себя ведет! Собака воспримет это как похвалу и, вероятно, будет вести себя так же и в будущем.

Если же ты будешь игнорировать щенка, когда он плохо себя ведет, он поймет, что тебе не нравится его поведение, и ты не будешь уделять ему внимания, если он и дальше будет так себя вести.

Как игнорировать щенка

1. Используя все свое актерское мастерство, отвернись от щенка и сделай вид, будто его не замечаешь.

2. Сложи руки на груди, чтобы щенок не смог до них дотянуться.

3. Смотри в сторону, на потолок или на небо, но не на щенка: ведь твой взгляд – это проявление внимания.

4. Оставайся спокойным или, если ты с кем-то разговариваешь в этот момент, продолжай разговор.

5. Как только щенок перестанет шалить, можешь снова к нему повернуться и притвориться, что ничего не произошло!

Когда нужно оказывать щенку знаки внимания?

Стоит уделять щенку внимание тогда, когда у тебя есть время поиграть с ним. Не стоит оказывать щенку знаки внимания, например, когда ты одеваешься или играешь с друзьями. Возможно, в этот момент он делает то, что тебе не нравится, например подпрыгивает,

игры для тебя и твоего щенка

На фотографиях **вверху** *и* **внизу** *изображен щенок, которому девять недель. Он весело играет с игрушкой, наполненной едой.*

Существует множество игр, в которые ты можешь поиграть со своей собакой. Твой щенок полон энергии, и ему очень нравится то, что ты уделяешь ему внимание, когда играешь с ним, – к тому же тебе и самому это нравится!

В большинстве игр вам понадобится какая-нибудь игрушка. Существует множество безопасных для щенка игрушек, например, такие, которые ему понравится грызть, специальные игрушки, которые он будет тянуть, и разные мячики. Некоторые игрушки можно купить в зоомагазине, а некоторые – сделать самому.

Игрушки, которые можно грызть

Существуют игрушки, сделанные специально, чтобы щенок мог погрызть их и поиграть

с ними один. Щенку кажется, что ботинки, твои игрушки, мебель можно грызть! Будь внимателен и следи, чтобы щенок грыз только свои игрушки и не играл с твоими.

Если хочешь порадовать щенка, вот тебе совет. В зоомагазинах есть специальные резиновые игрушки, полые внутри. Их можно наполнить каким-либо лакомством. Очень популярны подобные игрушки фирмы Kong. Щенок будет счастлив погрызть такую игрушку и обнаружить внутри что-то вкусное!

Если ты наполнил такую игрушку чем-то по-настоящему вкусным, щенок будет долго с ней играть и грызть ее. Ему так понравится находить лакомства внутри своей игрушки, что о твоих он просто забудет.

Если ты не найдешь в магазине такую игрушку, можешь использовать безопасную, полую внутри кость или пластиковую бутылку, заполненную лакомством, в качестве замены.

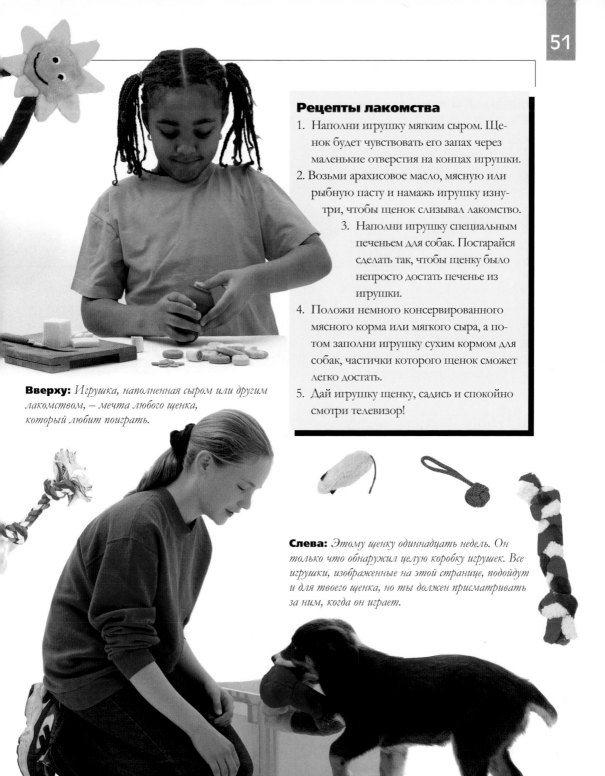

Рецепты лакомства

1. Наполни игрушку мягким сыром. Щенок будет чувствовать его запах через маленькие отверстия на концах игрушки.

2. Возьми арахисовое масло, мясную или рыбную пасту и намажь игрушку изнутри, чтобы щенок слизывал лакомство.

3. Наполни игрушку специальным печеньем для собак. Постарайся сделать так, чтобы щенку было непросто достать печенье из игрушки.

4. Положи немного консервированного мясного корма или мягкого сыра, а потом заполни игрушку сухим кормом для собак, частички которого щенок сможет легко достать.

5. Дай игрушку щенку, садись и спокойно смотри телевизор!

Вверху: *Игрушка, наполненная сыром или другим лакомством, — мечта любого щенка, который любит поиграть.*

Слева: *Этому щенку одиннадцать недель. Он только что обнаружил целую коробку игрушек. Все игрушки, изображённые на этой странице, подойдут и для твоего щенка, но ты должен присматривать за ним, когда он играет.*

Поиграем в перетягивания

Существуют специальные игрушки, с помощью которых ты и твой щенок можете поиграть в перетягивания, но рядом должен быть кто-то из взрослых, чтобы помочь вам.

Для этой игры идеально подойдет веревка из натурального материала. Можно привязать к ее концу мячик. Большинству щенков нравится ловить игрушку, гоняться за ней и тянуть. Эта игра очень веселая и безопасная, но ты и твой щенок должны соблюдать правила:

Вверху: *Взрослые должны быть рядом, когда маленький ребенок играет со щенком.*

Правила для тебя. Пообещай...

1. Играть со щенком в перетягивания только тогда, когда рядом есть кто-то из взрослых.
2. Веселиться, наслаждаться игрой и не кричать на щенка.
3. Быстро водить веревкой по полу, чтобы заинтересовать щенка, но не тыкать ему игрушкой в нос.
4. Научить щенка отдавать игрушку легко, не сопротивляясь.
5. Держать игрушку ниже уровня пояса во время игры.
6. Не делать щенку больно, например, не дергать его голову.

Правила для щенка

1. Щенок **ни в коем случае** не должен кусать тебя или твою одежду. Если он начал кусаться, немедленно прекрати игру.
2. Щенок должен отпустить игрушку, если ты попросишь его об этом спокойным голосом.
3. Собака не должна прыгать на тебя во время игры.
4. Щенок должен успокоиться после того, как ты закончишь с ним играть.

Вверху: *Пищащие игрушки – отличное развлечение, особенно для терьеров!*

Игра в перетягивания должна быть веселой и безопасной

Собаки любят гоняться за игрушкой, поэтому им так нравится игра в перетягивания. Чтобы заинтересовать щенка, двигай игрушкой по полу вокруг своих ног, как будто она живая и хочет убежать. Когда щенок погонится за ней, будь быстрее и не дай ему поймать ее.

Когда щенок поймает игрушку, слегка потяни ее на себя несколько раз. Если щенок поймает и схватит тебя вместо игрушки, немедленно прекрати игру и уходи. Немного поиграв, предложи щенку вкусное лакомство вместо игрушки. Когда щенок отпустит игрушку, чтобы съесть угощение, держи игрушку в руках, но не прячь ее. Когда щенок доест, поиграй с ним еще.

Несколько раз поиграв со щенком таким образом, начни повторять слова «Отдай!» или «Отпусти!» перед тем, как дать щенку лакомство. Он быстро запомнит, что это значит: «Отпусти игрушку и жди угощения». Вскоре тебе уже не понадобится каждый раз давать щенку что-то вкусное, ведь следующая игра сама по себе – это достойная награда за хорошее поведение.

Родителям на заметку ⚠

ВНИМАНИЕ! Подобные игры безопасны, только если собака обучена отпускать игрушку не сопротивляясь, сразу подчиняясь команде, данной спокойным голосом. Вам стоит внимательно следить, когда ребенок играет со щенком, и немедленно останавливать игру, если один из них начинает шалить. Если ваш ребенок еще очень маленький, а собака активная или большая, предложите им поиграть во что-то другое, например, в прятки с игрушкой.

Безопасность превыше всего!

Палка – это не лучшая игрушка для щенка, поэтому никогда не бросай щенку палку и не проси, чтобы он принес ее тебе. Палка может поранить рот и горло щенка, поэтому лучше, если вы будете играть с резиновыми игрушками.

Игры с мячом очень увлекательны, но мяч по размеру должен быть больше теннисного. Теннисный мячик или более мелкая игрушка может застрять в горле у собаки, или щенок может ее проглотить.

Собакам, особенно терьерам, обычно нравятся пищащие игрушки. Следи, чтобы щенок не разгрыз такую игрушку и не проглотил пищалку.

Игры для тебя и твоего щенка

Футбол

Футбол – это очень интересная игра для тебя и твоего щенка. Убедись, что щенок не сможет случайно прокусить мяч и что он не слишком большой, чтобы щенок мог его поднять. Пинай мяч осторожно, не попади в щенка, а потом предложи ему прикатить игрушку обратно, толкая носом. В разделе «Игры на улице» (см. стр. 86) ты найдешь несколько советов, как научить щенка толкать мяч носом или лапой.

Фризби

Некоторые собаки могут отлично ловить фризби. Однако обычно этой игре нужно долго учиться. Для начала научи щенка просто приносить тебе диск, когда ты его кидаешь. Позже, когда щенок вырастет, ты научишь его подпрыгивать в воздух и ловить фризби на лету.

Прятки

Прятки – отличная игра, в которую можно поиграть не только вдвоем со щенком, но еще и с друзьями. Для начала научи щенка садиться, ложиться и стоять по команде (см. стр. 64).

Пока щенок стоит, убегай и прячься в доме или во дворе. Когда спрячешься, позови щенка, но только один раз. Теперь щенок охотится на тебя! Когда он тебя найдет, погладь его и угости лакомством, и щенку обязательно захочется сыграть еще раз.

«Принеси, пожалуйста!» Футбол – это не только хорошая возможность размяться для твоего щенка. С помощью этой игры он научится лучше тебя слушаться.

Немного терпения и тренировок — и твой щенок станет отличным игроком во фризби. Никогда не направляй фризби на щенка, бросай диск в сторону, и пусть щенок поймает его.

за ногу, нужно остановиться. Хотя поначалу это и весело, когда щенок гоняется за тобой, но ведь скоро он вырастет и станет гораздо сильнее. Большинство взрослых собак могут с легкостью догнать тебя или даже сбить с ног. Более того, собака может погнаться за другим ребенком, например, когда вы гуляете в парке, и это втянет вас обоих в серьезные неприятности.

В свою очередь ты тоже не должен гоняться за щенком, особенно если он что-то украл. Если ты будешь за ним гоняться, он решит, что стащить что-нибудь — отличный способ начать веселую игру, и будет делать так снова и снова. Некоторые собаки могут даже прятать вещи от хозяев или защищать украденную вещь и отказываться отдавать ее, что тоже может стать серьезной проблемой.

Даже маленького щенка, например в возрасте девяти недель, можно научить приносить игрушку.

Чего лучше избегать

Нельзя бороться со щенком и играть в любые игры, когда он кусает тебя или твою одежду, хватает тебя или рычит. Такие игры могут показаться интересными, но представь, что будет, когда щенок вырастет. Играйте в безопасные игры!

Не позволяй щенку гоняться за тобой. Если ты бежишь, а щенок пытается бежать за тобой, схватить тебя за одежду или укусить

кормление щенка

Как и нам, щенкам нравится есть ту еду, которую они больше всего любят. Однако не стоит кормить щенка тем, что нравится нам, от этого у него может заболеть живот. Существует множество различных кормов, сделанных специально для собак. Только взгляни на ряды банок, коробок и пакетов с собачьей едой на полках в зоомагазине и убедишься, что выбор просто огромен.

Поначалу стоит кормить щенка тем же, чем его кормил заводчик – хозяин мамы щенка. Если резко сменить тип еды, у щенка могут возникнуть проблемы с желудком.

Собакам безразлично, как выглядит их еда; главное – чтобы она хорошо пахла и была вкусной! Щенок не будет против, если каждый день кормить его одним и тем же – собственно говоря, такое постоянство даже необходимо: ведь у щенка может быть очень чувствительный желудок.

Ты знаешь, что входит в состав корма, который ты даёшь щенку? Скорее всего, нет. Обычно корм для собак готовят и упаковывают так, что не видно, из чего он сделан. Очень важно, чтобы корм не только выглядел и пах как мясо, но и был действительно хорошего качества. Иногда состав корма написан на упаковке – мясо цыплёнка и индейки или баранина легко усваиваются, поэтому хорошо, если они являются основными ингредиентами.

Бывают ли собаки-вегетарианцы?

Собака может быть вегетарианцем, но такая диета должна быть тщательно сбалансирована, чтобы щенок получал все витамины и минералы, необходимые для здоровья. Дикие собаки едят много растений, кореньев и ягод, а также насекомых и мясо, добываемые на охоте.

Как кормить щенка

У каждого щенка должна быть своя собственная миска для еды. Она может быть пластиковой, из нержавеющей стали или керамической (глиняной). Некоторые щенки очень радуются, когда видят, что их хозяин готовит обед, они бегают вокруг него и могут даже лаять. Постарайся успокоить щенка, дав ему команды «Сидеть!» и «Стоять!» (см. стр. 64 и 67), пока еда не будет готова.

**Сидеть!
Ждать!**

Твой щенок любит обед! Но сделать так, чтобы он спокойно сидел и ждал, пока ты его накормишь, – это хорошее упражнение, которое учит щенка быть послушным. Используй команды «Сидеть!», «Ждать!», хвали его словом «Молодец!».

Вверху: *Этот щенок бордер-колли ест обед из своей миски, а рядом стоит миска с водой.*

Внизу: *Пока эта миска слишком большая для щенка, но ведь он скоро вырастет!*

Вверху: *Странно, но эти два щенка едят свой обед из одной миски и не ссорятся между собой. Чаще, если у щенков одна миска на двоих, они стараются оттолкнуть друг друга от еды, как эти два щенка на фотографии* **внизу**.

Как часто?

То, как часто нужно кормить собаку, зависит от ее возраста. Пока щенок очень маленький, его нужно кормить четыре раза в день. Когда щенок достигает возраста около 14 недель, его можно переводить на трехразовое питание. Для большинства взрослых собак вполне достаточно двух приемов пищи в день. Тогда они не слишком проголодаются днем, но и не будут есть очень много!

Сколько еды?

Количество еды, необходимое твоему щенку, зависит от его размера. Собакам больших пород, например, мастифам, нужно больше еды, чем, например, йоркширским терьерам. Самый лучший способ понять, достаточно ли ты кормишь щенка и не перекармливаешь ли его, — это пощупать его бока. Если ты чувствуешь ребра, но их не видно, значит, твой щенок весит столько, сколько и должен весить. Если ты не чувствуешь ребра, возможно, стоит меньше кормить собаку и проследить, чтобы она больше двигалась.

Ждать!

Молодец!

Нельзя охранять свой обед

Некоторые собаки охраняют свою еду. Они рычат или даже огрызаются, если кто-то подходит к ним слишком близко в то время, когда они едят. Если твой щенок ведет себя таким образом, немедленно отойди от него и сообщи об этом кому-то из взрослых.

Обычно щенки охраняют свой обед, поскольку боятся, что кто-нибудь отнимет у них еду. Чтобы щенок был спокоен, пока он обедает, сделай так:

1. Поставь на пол пустую миску. Щенок заглянет в миску, а потом посмотрит на тебя.
2. Положи в миску одну ложку корма и подожди, пока щенок съест его.
3. Продолжай класть в миску по одной ложке корма и жди, пока щенок не съест его. Делай так, пока он не съест весь свой обед.

Щенок скоро поймет, что ты – добрый волшебник, который приносит еду, а не злой монстр, который пытается украсть у него обед! Как только щенок поймет это, можешь переходить к следующему этапу:

1. Положи еду в миску, поставь миску на пол и подожди, пока щенок начнет есть.
2. С небольшого расстояния аккуратно кинь щенку кусочек лакомства, постарайся попасть в миску.
3. Подожди, пока щенок съест лакомство, вне зависимости от того, куда оно упало, а потом пусть доедает свой обед.
4. Три или четыре раза в неделю кидай щенку какое-либо лакомство, пока он обедает.

Чтобы дать своему девятинедельному щенку понять, что не нужно охранять обед, Эмили постепенно подкладывает ему в миску лакомства, пока он ест.

Родителям на заметку ⚠️

Во время еды собаки часто проявляют агрессию по отношению к людям, потому что чувствуют угрозу. Очень важно не наказывать щенка за такое поведение и не забирать у него миску, так как это только усугубит проблему. Пока собака ест, следите, чтобы дети не подходили к ней слишком близко. Обратитесь за помощью к профессиональному тренеру.

Угощения

Лакомство – это маленький и очень вкусный кусочек еды, которым ты угощаешь щенка, если хочешь его за что-то похвалить. Когда ты дома, то можешь часто угощать собаку лакомствами в качестве награды за хорошее поведение, причем они могут заменить щенку обед. К тому же, если ты будешь так делать, твой щенок не растолстеет.

Когда ты со щенком на тренировке или гуляешь на улице, тебе понадобится больше различных лакомств, чтобы заинтересовать щенка, когда это необходимо. Подойдут маленькие кусочки вареной курятины, печени или даже кусочки хот-дога.

Как давать щенку лакомство

Храни лакомства в таком контейнере, который щенок не сможет открыть. Доставай кусочки угощения по одному и держи их большим и указательным пальцами. Если щенок пытается схватить угощение, лучше положить лакомство на пол или держать его на ладони. Если ты решишь кормить щенка с руки, протяни ему ладонь с лакомством так, как будто кормишь лошадь.

Часто собака не доедает обед, если ты положил ей слишком много еды, но большинство в любом случае съедят все без остатка!

Научи щенка брать еду у тебя с руки очень осторожно.

Как брать угощения

Научи щенка правильно брать угощения у тебя с руки – он не должен делать это зубами. Используй команды «Брось!» или «Оставь!» (см. стр. 72), если нужно. Большинство собак умеет очень осторожно брать еду с руки. Если у твоего щенка это не получается – обратись за помощью к кому-нибудь из взрослых.

дрессировка щенка

Дрессировка щенка – непростое, но очень увлекательное занятие. Мы уже говорили, что собаки не понимают нашего языка и учатся не так быстро, как люди, поэтому тебе понадобится много времени и терпения, чтобы заниматься со щенком.

Когда дрессируешь щенка, очень важно хвалить его. Если щенок сделает что-то и получит за это награду – лакомство или игрушку, или ты просто похвалишь и погладишь его – скорее всего, он сделает это снова. Если ты не обратишь внимания, он может и не повторить это действие. Например, если ты учишь щенка садиться по команде и даешь ему лакомство каждый раз, когда он выполняет ее, то скоро щенок научится садиться при слове «Сидеть!», рассчитывая на угощение.

Щенки также часто делают то, что кажется им веселым и интересным, например, копают, лают, грызут предметы, гоняются за чем-то, что движется, и едят.

Лакомства – это путь к сердцу щенка! Если ты будешь все делать правильно, то с помощью угощений сможешь выдрессировать свою собаку.

Щенкам также нравится, когда им уделяют внимание. Если щенок сделал что-то плохое, например, украл твою игрушку, а ты смеешься над этим, щенок может подумать, что красть твои игрушки – очень веселая игра, и сделает так снова!

Собаки не говорят как люди!

Если ты смотрел фильм про Лесси или про 102 далматинца, то, наверное, думаешь, что собаки на самом деле понимают все, что мы говорим. Собака может запомнить, что значат отдельные слова, потому что знает, как они звучат и что случается после того, как их произнесли. Но в целом наша речь – как иностранный язык для собак. Однако, хотя собаки и не понимают наших слов, они обращают внимание на то, как ты двигаешься, и на выражение твоего лица.

Учим язык

Дрессировать собаку – все равно что учиться общаться с человеком из другой страны. Вам обоим нужно научиться понимать язык друг друга и пользоваться понятными жестами. Не стоит кричать, много раз повторять одно и то же слово и злиться – это не поможет. Чем спокойнее и четче ты будешь говорить, тем быстрее щенок поймет тебя.

Твой словарь

Щенку будет сложно, если ты будешь говорить, например, «Сидеть!», а кто-то другой из твоей семьи «Сядь!», имея в виду одну и ту же

Словарь

Слово	Значение
....	....
....	....
....	....
....	....
....	....

Пример словаря

Слово	Значение
Имя щенка	Посмотри на меня
Сидеть!	Сядь
Лежать!	Ляг на пол
Ко мне!	Подойди ко мне
Брось!	Не грызи мебель
Оставь!	Не трогай это

команду. Будет лучше, если вы сделаете специальный «словарь», куда впишете все слова, которыми будете пользоваться во время дрессировки. Когда вы решите, как должны звучать все команды и что будут значить те или иные слова, прикрепи этот список к холодильнику, чтобы все члены семьи прочитали его. Посмотри на пример наверху.

Родителям на заметку

Не стоит зря наказывать щенка. Дети и взрослые не должны кричать на собаку, бить или трясти ее. Методы обучения, основанные на вознаграждениях за хорошее поведение, очень просты, эффективны и приятны. Если у вас возникают проблемы с дрессировкой щенка, попросите ветеринара посоветовать вам курсы по дрессировке собак.

Различные лакомства, используемые во время дрессировки, должны храниться в специальной банке и всегда быть под рукой.

кликер-дрессировка

Если у тебя нет кликера, ты можешь произносить сигнальное слово или щелкать языком.

твою команду и хорошо себя вел. Этим звуком ты можешь «отметить» такое поведение щенка, которое заслуживает похвалы, как учитель в школе, который ставит галочку напротив правильного ответа.

Если у тебя нет кликера, не волнуйся. Ты все равно можешь добиться эффекта кликер-дрессировки, если будешь вместо щелчков кликера каждый раз говорить какое-либо слово, например «да» или «правильно», или же просто щелкать языком.

Кликер-дрессировка* – это один из самых современных методов дрессировки собак, а также удовольствие как для тебя, так и для твоего щенка. Если ты используешь кликер, тебе не придется толкать, тянуть щенка или еще каким-то образом силой заставлять его что-то делать.

Что такое кликер?

Кликер представляет собой маленькую коробочку из пластика с металлической полоской внутри. Когда ты нажимаешь кнопку, кликер издает резкий щелкающий звук. Очень скоро щенок запомнит, что означает такое щелканье: ему полагается лакомство, игрушка или похвала за то, что он правильно выполнил

Условный сигнал

Благодаря кликеру щенку будет проще понять, какого именно поведения ты от него ждешь. Если ты будешь щелкать кликером, как только щенок правильно выполнит команду, он будет знать, какое именно его действие заслужило награду. Это позволит щенку понять, что ему нужно сделать, чтобы заслужить щелканье и, следовательно, награду.

От англ. click – щелкать. – Прим. пер.

С помощью кликер-дрессировки можно многому научить собаку и добиться потрясающих результатов. Многие собаки учатся помогать своим хозяевам-инвалидам, например, включать и выключать свет, нажимать кнопки в лифте и даже приносить газеты.

Поначалу у щенка может что-то не получаться. Никто не идеален. Не обращай внимания на ошибки – не хвали щенка и не давай ему лакомство, **никогда** не кричи на него и не наказывай. Скоро твой щенок поймет, что только правильно выполнив упражнение, он заслужит награду.

Этому щенку лабрадора 16 недель. Он умеет очень аккуратно брать лакомство из рук ребенка.

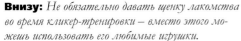

Внизу: *Не обязательно давать щенку лакомства во время кликер-тренировки – вместо этого можешь использовать его любимые игрушки.*

Справа: *Конечно, собаки любят своих хозяев, но, несмотря на это, им нужна награда за то, что они выполняют команды!*

⚠ Родителям на заметку

Многие считают, что собака должна выполнять команды просто потому, что она «любит» своего хозяина. Собакам нужно вознаграждение за то, что они делают, однако похвала также может быть наградой. Несмотря на это, большинству щенков все же нужно больше, чем просто похвала, чтобы они научились выполнять команды. Попробуйте понять, что ваш щенок больше всего любит – обычно для дрессировки лучше всего подходят лакомства и игрушки.

первые уроки дрессировки

1 учимся быть внимательным и сидеть

Это очень просто — использовать лакомство, чтобы привлечь внимание щенка.

Помни, что ты должен быть спокоен и терпелив. Как только щенок правильно выполнит упражнение, щелкни кликером или произнеси сигнальное слово и дай ему лакомство. Всегда используй одно и то же сигнальное слово, а в качестве команд — только те слова, которые ты занес в свой словарь.

Уделяй щенку внимание

Выбери для тренировки тихое и спокойное место — дома или на улице. Держи наготове вкусные лакомства для щенка. Если у тебя есть кликер — спрячь его за спину. Не направляй его на щенка и никогда не щелкай слишком близко к уху собаки.

1. Позови щенка по имени отчетливо и с радостной интонацией.
2. Как только он посмотрит на тебя — щелкни кликером или произнеси сигнальное слово.
3. Похвали щенка, угости лакомством.
4. Повтори все это три или четыре раза.

Вскоре щенок начнет понимать значение щелчка или сигнального слова и будет отзываться на него. Он будет думать: «Здорово, где мое угощение?!» Кроме того, собака научится откликаться, когда ты зовешь ее по имени.

Тренируйте этот этап, пока не добьетесь полного совершенства. Теперь вы готовы переходить к следующим урокам.

Самое время начинать дрессировать своего щенка! Прежде всего нужно привлечь его внимание — если щенок будет тебя игнорировать, ты не сможешь его ничему научить. Когда щенок посмотрит на тебя, начинай учить его самой простой, но самой полезной команде – «Сидеть!»

Научи щенка садиться и получать за это угощение.

«Сидеть!»

Чтобы научить щенка садиться по команде, нужно использовать лакомство как приманку – для привлечения его внимания. Когда щенок выполнит команду, дай ему лакомство в награду.

1. Стой спокойно и покажи щенку, что у тебя в руке лакомство. Поднеси его к носу собаки, очень близко, но держи угощение крепче, чтобы щенок не выхватил его у тебя из пальцев.

2. Снова подними руку так, чтобы щенок следил за ней взглядом. Чтобы смотреть вверх на твои пальцы, ему придется сесть.

3. Твой щенок сидит! Как только он сядет, щелкни кликером, а потом дай ему лакомство.

4. Повтори это упражнение несколько раз. Если щенок отрывает от пола передние лапы, ты, должно быть, поднимаешь лакомство слишком высоко, так что в следующий раз держи руку немного ниже.

5. Начни говорить слово «сидеть» перед тем, как поднять лакомство. Щелкни кликером, как только щенок сядет, а потом дай ему угощение. Вскоре слово «сидеть» начнет ассоциироваться у щенка с тем, что он садится. Поздравляем!

Удерживай внимание щенка, приманивая его лакомством.

6. Теперь нужно научить щенка садиться без лакомств. Не доставай никакого угощения, а просто скажи щенку, чтобы он сел. Если щенок выполнит команду, сразу же щелкни кликером и дай ему лакомство. Если щенок не садится по команде, используй движение рукой – подними руку вверх так, как ты делал это раньше, но теперь без угощения. Похвали щенка за хорошее поведение.

7. Упражняйтесь, пока щенок не научится быстро садиться по команде. Говори щенку, чтобы он сел перед тем, как произойдет что-то приятное для него, например, перед обедом, перед тем, как ты наденешь на него поводок или выпустишь во двор. Подчиняться команде «сидеть!» очень важно для щенка, так он говорит «пожалуйста» и «спасибо»!

⚠ Родителям на заметку

Если ваш щенок очень активный, возможно, вам лучше присутствовать при упражнениях, когда ребенок использует еду в качестве приманки. Стойте рядом с ребенком, тогда и он, и щенок будут чувствовать себя увереннее.

Используй угощения на тренировках

Крепко держи лакомство между большим и указательным пальцами, когда приманиваешь щенка. Предлагай собаке угощение, положив его на ладонь или на пол.

2 учимся лежать и замирать

Учимся ложиться по команде

Обучение команде «Лежать!» потребует больше терпения, чем «Сидеть!», потому что тебе придется ждать, пока щенок не сделает то, что надо. Внимательно наблюдай за ним и жди момента, когда щенок ляжет на пол.

Внизу: *Примани щенка лакомством, чтобы он выполнил команду «лежать».*

1. Поднеси лакомство к носу щенка, а потом медленно опусти руку на пол, прямо между передних лап щенка. Перевернув ладонь, спрячь угощение. Щенок захочет просунуть нос тебе под ладонь, чтобы добраться до лакомства.

2. Следи за поведением щенка. Возможно, он поднимает лапу, чтобы попытаться достать лакомство, слегка наклоняется вперед или отклоняется назад. Это значит, что тебе просто надо подождать. Постепенно щенок опустит заднюю часть корпуса на пол.

3. Как только щенок ляжет, щелкни кликером и положи лакомство на пол, чтобы щенок мог его съесть.

4. Повтори упражнение несколько раз; иногда держи в руке лакомство, а иногда — нет.

5. Когда щенок научится ложиться, следуя за движением твоей руки, начни говорить слово «лежать» каждый раз, когда опускаешь ее.

Справа: *Постоянные упражнения научат щенка сидеть.*

Учимся ложиться без угощения

1. Теперь стой прямо. Покажи щенку, что у тебя есть лакомство, и спрячь его за спину. Спокойно скажи «лежать», но не подсказывай щенку рукой. Скорее всего, твой щенок попробует сесть или даже дать лапу, а только потом подумает, что, возможно, ты хочешь, чтобы он лег. Будь терпелив и постарайся не повторять слово «лежать».

2. Как только щенок ляжет, щелкни кликером и дай ему большое вознаграждение – угости несколькими кусочками лакомства, а потом поиграй с ним.

3. Повторяйте это упражнение в разных местах дома и во дворе, пока щенок не научится ложиться по команде где бы то ни было.

«Замри!»

Когда щенок научится садиться и ложиться по команде, можешь научить его замирать в таком положении, пока ты не щелкнешь кликером и не дашь ему лакомство.

1. Скажи щенку «сидеть» или «лежать», потом сосчитай до пяти, щелкни кликером и угости щенка лакомством. Если он встанет раньше, чем ты закончишь считать, снова прикажи ему «сидеть» или «лежать» и начинай все с начала.

2. Скажи щенку «сидеть» или «лежать», сосчитай до десяти, щелкни кликером и угости его лакомством.

3. Скажи щенку «сидеть» или «лежать», сосчитай до двадцати, щелкни кликером и угости его лакомством.

4. Скажи щенку «сидеть» или «лежать», сосчитай до тридцати, щелкни кликером и дай ему большое вознаграждение.

Научи щенка сидеть или лежать в течение разных промежутков времени. Постепенно увеличивай время от 30 секунд до двух минут. Хвали щенка все время, пока он сидит или лежит. Если щенок не хочет сидеть дольше 30 секунд, говори «замри», после того как он сядет или ляжет.

Когда ты щелкаешь кликером или произносишь сигнальное слово, щенок думает, что он все сделал правильно и ему не нужно больше «замирать». Щелкай кликером, пока щенок сидит или лежит, а угощение давай несколькими секундами позднее.

3 учимся приходить на зов

Ты уже научил щенка откликаться и смотреть на тебя, когда ты зовешь его по имени. Следующее, чему должен научиться твой щенок, – это приходить, когда ты его зовешь. Эта команда очень полезна. Ты можешь, например, позвать щенка в дом, когда он тебе нужен или чтобы он не попал в беду.

1. Встань перед щенком, назови его имя и покажи ему угощение, которое ты держишь в руке. Если собака подойдет к тебе, щелкни кликером, а потом угости его лакомством.
2. Повтори это упражнение еще раз, но теперь отойди на шаг или два. Подзови щенка к себе, используя щелчки кликера, похвалу и лакомства.
3. Изменяй расстояние, которое щенку придется пройти, чтобы получить лакомство, – иногда всего один шаг, иногда 12 шагов, иногда больше, иногда меньше.
4. Когда щенок научится подходить к тебе каждый раз, когда ты зовешь его, говори «ко мне» или «сюда» после того, как произносишь его имя.

Теперь вы готовы научиться еще кое-чему. Когда щенок подойдет к тебе, дотронься до его ошейника, щелкни кликером, а потом дай ему лакомство. Это научит собаку подходить к тебе и ждать, пока ты не возьмешь ее за ошейник, прежде чем угостить чем-то вкусным.

Если щенок подходит очень медленно или не подходит вообще, не сердись, иначе щенку еще меньше захочется подойти к тебе. Вместо этого покажи щенку награду, которую он мог бы получить, а потом отложи лаком-

Когда щенок находится на каком-то расстоянии от тебя, помани его лакомством или игрушкой и скажи: «Ко мне!»

ство или игрушку в сторону. Возвращайтесь к первому уроку (см. стр. 64), а когда щенок начнет откликаться на свое имя, снова попробуйте выучить команду «Ко мне!».

Проверь щенка

Тренируй команды «Ко мне!» и «Сюда!», когда собираешься накормить щенка обедом, поиграть с ним или просто похвалить; зови щенка в те моменты, когда он меньше всего этого ожидает:

- Позови щенка из другой комнаты.
- Позови щенка наружу, во двор.
- Позови щенка в дом, когда он во дворе.
- Позови щенка, когда ты сидишь.
- Позови щенка, когда он занят чем-то интересным.

Награди щенка за то, что он подошел к тебе по команде, — дай ему поиграть с игрушкой.

Поиграйте в Гензеля и Гретель

Некоторым щенкам нужны дополнительные упражнения, чтобы научиться приходить на твой зов, и чем более увлекательными ты сделаешь эти упражнения, тем лучше! В сказке Гензель и Гретель оставляли за собой след из хлебных крошек, чтобы по нему найти дорогу домой, но птицы склевали крошки. В этой игре ты должен будешь оставлять дорожку из угощений для своего щенка.

1. Встань рядом со щенком, а потом пройди несколько шагов вперед и урони на пол кусочек лакомства.
2. Подожди, пока щенок найдет угощение, щелкни кликером и подожди, пока он его съест.
3. Пройди еще несколько шагов, позови щенка и урони еще лакомство.
4. Продолжай эту игру, и вскоре щенок будет следовать за тобой по дому и двору, как будто он твоя тень!

Когда щенок научится подходить к тебе по команде, попробуй увеличить расстояние, которое ему придется пройти, чтобы получить вознаграждение.

4 учимся ходить на поводке

Научить щенка ходить на поводке сложно, но это очень важно. Это так весело – гулять со щенком в парке, можно приятно провести время... Но ведь если щенок постоянно тянет поводок, прогулка испорчена! Это очень раздражает и утомляет, когда собака тащит тебя за собой.

Собаки обычно тянут поводок, потому что так они получают то, что хотят: вы быстрее приходите в парк, и щенок может тащить тебя именно туда, куда ему хочется пойти. Но все должно быть в точности наоборот, и ты, как хозяин собаки, должен держать ситуацию под контролем.

Ты должен научить своего щенка послушно ходить рядом с тобой на поводке, и в этом тебе поможет кликер-дрессировка.

Если щенок тянет поводок, остановись и стой спокойно на месте. Не позволяй собаке протащить тебя ни на шаг вперед! Не сдвигайся с места, пока щенок не перестанет тянуть поводок. Как только щенок остановится и будет стоять спокойно, дай ему понять, что теперь он ведет себя правильно. Щелкни кликером или произнеси сигнальное слово и дай щенку лакомство.

Шаг за шагом

1. Пристегни к ошейнику щенка поводок, пока вы дома или во дворе. Стой на месте.
2. Как только щенок успокоится, перестанет тянуть поводок и посмотрит на тебя, щелкни кликером и дай щенку лакомство.
3. Внимательно наблюдай за щенком. Как только натягивается поводок – останавливайся и жди, стоя на месте. Не делай ни шагу вперед, пока щенок не начнет вести себя спокойно.
4. Каждый раз, когда щенок идет рядом с твоей ногой так, что поводок провисает, щелкай кликером и хвали щенка.

Для начала нужно научить щенка сидеть спокойно, пока ты пристегиваешь поводок к ошейнику!

Вверху: *На этом пятнистом щенке стаффордширского бультерьера надет ошейник-намордник.*

Родителям на заметку ⚠️

Возможно, ваш щенок постоянно очень настойчиво тянет поводок, или вашему ребенку сложно заниматься со щенком по предложенной нами методике. В таком случае попробуйте использовать ошейник-уздечку. Так вам будет легче контролировать поведение собаки, и прогулки станут гораздо безопаснее и приятнее. Щелкайте кликером и хвалите щенка, когда он хорошо себя ведет, это улучшит результаты тренировок. Всех собак можно научить правильно ходить на поводке или, если это необходимо, можно использовать ошейник-уздечку. Ошейники-удавки, строгие ошейники и прочие средства, «корректирующие» поведение собаки, совершенно излишни. Они могут легко поранить щенка или сделать ему больно, как, впрочем, и неправильно надетая шлейка.

Слева: *Убедись, что можешь просунуть два пальца между шеей щенка и ошейником. Это значит, что ты не слишком туго затянул его, и он не делает собаке больно.*

5. Повтори упражнение несколько раз, а потом поиграй со щенком.

6. Положи лакомство в карман. Подзови щенка к себе, чтобы он встал правильно – у твоей ноги, поводок не натянут – и дай ему угощение. Поначалу не скупись на похвалы, но потом вознаграждай щенка только тогда, когда он делает все идеально.

7. После того как вы хорошенько потренируетесь дома и во дворе, попробуй погулять со щенком в парке. Однако не ожидай от него сразу слишком многого. В парке столько всего интересного, что поначалу тебе придется стоять на месте большую часть прогулки. Будь терпеливым.

5 учимся класть игрушку по команде

«Оставь» и «Брось» – очень полезные команды, если ты не хочешь, чтобы щенок воровал твою еду. С помощью этих команд ты говоришь щенку, чтобы он не трогал то, чего трогать нельзя, например твою еду, игрушки, кошек, одежду, мусор на улице.

Практикуйтесь в выполнении этих команд понемногу, но повторяйте упражнения регулярно, пока щенок не научится бросать «запретный» предмет каждый раз, когда ты даёшь команду. Чем чаще вы будете практиковаться, тем лучше щенок запомнит команды. Однако даже хорошо натренированные собаки иногда неспособны устоять перед соблазном стащить что-то из еды. Поэтому, когда оставляешь щенка одного, убедись, что все продукты находятся вне зоны его досягаемости.

Даже очень маленькие щенки могут выучить команду «Оставь!»

Чтобы научить щенка бросать предметы по команде, ты должен сначала решить, как именно будет звучать эта команда: «Брось!» или «Оставь!» – возможно, ты уже внес одно из этих слов в свой словарь (см. стр. 61). Для тренировок отведи щенка в тихую комнату или в спокойное место во дворе.

1. Возьми в руку лакомство и сожми его в кулаке. Положи кулак на колено.

2. Щенок начнёт нюхать, лизать и слегка покусывать твой кулак, чтобы добраться до угощения. Ничего не говори и не убирай руку.

Чтобы научить щенка выполнять команду «Оставь!», крепко зажми лакомство в кулаке. Подожди, пока щенок не отвернётся от твоей руки, а потом щелкни кликером и дай ему угощение.

3. Внимательно наблюдай за щенком. Как только он отвернется от твоей руки хотя бы на секунду, щелкни кликером или произнеси сигнальное слово и дай щенку лакомство. Сначала тебе придется очень внимательно следить за щенком.

4. Повтори это упражнение несколько раз.

5. Повтори упражнение еще раз, но теперь подожди, чтобы щенок отвернулся от твоей руки на две секунды. Произнеси сигнальное слово и дай щенку лакомство.

6. Повторяй упражнение, постепенно увеличивая время, на которое щенок должен отвернуться от твоей руки, до десяти секунд. Потом можешь добавлять слово «оставь» (или «брось»), но говори его не угрожающим тоном, а очень спокойно.

7. Теперь повтори упражнение еще раз, но, когда скажешь слово «оставь», держи лакомство на открытой ладони. Если щенок попытается взять его, сожми ладонь в кулак, но не убирай руку.

8. Если заниматься со щенком регулярно, он вскоре запомнит, что слово «оставь» значит, что он не должен трогать предмет. Иногда собаки запоминают также, что по этой команде они должны бросить предмет или отпустить животное, которое они поймали.

Родителям на заметку

Если щенок пытается схватить лакомство с ладони и может сделать ребенку больно, вы сами можете тренировать его и обучить команде «Оставь!» или «Брось!». Как только щенок перестанет пытаться взять лакомство с руки, ваш ребенок снова может с ним заниматься.

Соблазнительные лакомства

Когда начнешь обучать щенка команде «оставь», используй в качестве лакомства кусочек сухого собачьего корма. Потом возьми что-нибудь повкуснее, например кусочек курицы или мяса. Эта еда более соблазнительна для щенка, и ему будет сложнее выполнить команду и не трогать лакомство.

Будь внимателен, когда занимаешься со щенком.

6 учимся приносить предметы

Некоторым щенкам нравится бежать и искать предметы или игрушки, которые им кидают, а потом приносить их обратно. Но иногда с ними приходится много заниматься, чтобы они научились сразу отдавать игрушку хозяину.

Других щенков не сразу удается научить брать игрушку. Это упражнение поможет щенку научиться уверенно держать предмет. Не забудь, что практиковаться нужно регулярно: твой щенок ничему не научится, если ты будешь заниматься с ним от случая к случаю.

1. Для упражнения возьми что-то, с чем щенку нравится играть, например, тряпку, картонную коробочку или какую-либо игрушку. Держи наготове лакомства для щенка.

2. Держи игрушку в руке и дай щенку ее понюхать. Если он коснется ее, щелкни кликером или произнеси сигнальное слово и дай щенку лакомство. Повтори эту часть упражнения несколько раз.

3. Подожди, пока щенок не попробует взять игрушку. Позволь ему подержать ее одну секунду, потом произнеси сигнальное слово и дай щенку лакомство.

4. Постепенно увеличивай время, в течение которого щенок должен держать игрушку, до двадцати секунд. Когда он каждый раз будет держать ее по двадцать секунд, начни говорить слово «держи», прежде чем щенок возьмет игрушку.

5. Потом попробуй положить игрушку на колени или на пол и дай щенку команду «Держи!»

6. Когда щенок научится брать предмет у тебя с колен или с пола, значит, он понял, что команда «Держи!» означает «иди возьми этот предмет и принеси его мне».

Обычно собакам нравится играть и упражняться с игрушками, поэтому тебе не придется долго использовать лакомства или сигнальные слова в этом упражнении. Щенок будет приносить тебе игрушки просто потому, что ему понравится эта игра!

Дополнительные упражнения

Если твой щенок успешно справился с первым упражнением, попроси его принести тебе:

- Одну из его игрушек
- Картонную коробку
- Небольшую пустую пластиковую бутылку
- Перчатку
- Старую металлическую ложку
- Связку ключей

Упражнения с металлическими предметами

В списке упражнений есть такие, где щенку нужно принести тебе металлический предмет, например, ложку или ключи. Эти упражнения сложные для щенка. Если он не хочет держать металлический предмет, чаще повторяй с ним эти упражнения и побольше хвали его за хорошее поведение.

Идем до конца!

Некоторым собакам кажется очень забавным, когда хозяин сам ищет мячики и игрушки. Они думают, это гораздо веселее, чем когда щенок приносит игрушку хозяину! Проследи, чтобы во время упражнения твой щенок не делал так. Если он проносит игрушку только часть пути, а потом кладет ее и ждет, чтобы ты сам подошел и забрал ее, скажи щенку, чтобы он снова взял игрушку и принес ее тебе прямо в руки.

Собачья почта

Когда щенок научится приносить тебе предметы по команде, вы сможете вместе играть в очень интересные игры. Например, с помощью этой команды ты можешь отправлять послания друзьям или членам семьи, которые находятся в другой комнате или во дворе.

Напиши сообщение на листке бумаги, сверни его и положи внутрь картонной коробки, чтобы щенок нечаянно не погрыз его. Теперь попроси щенка найти адресата. Возможно, сначала этот человек должен будет немного помочь щенку и позвать его по имени, но, как только щенок поймет суть игры, он будет каждый раз приносить твои сообщения нужному человеку.

Пусть щенок понюхает игрушку, поймает и поиграет с ней. Вопрос только в том, принесет ли он ее обратно тебе?

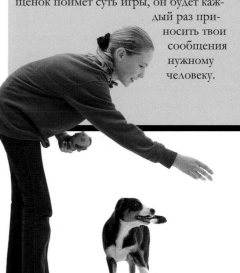

как вести себя рядом с другими собаками

Обычно собаки очень дружелюбны и им нравится общаться с людьми. Но даже самый добродушный щенок может быть в плохом настроении или казаться сердитым. Возможно, он плохо себя чувствует или просто устал, но ведь собака не может объяснить тебе, в чем дело. Вместо этого щенок может зарычать, показать зубы или даже огрызнуться на тебя. В этом случае ты должен прислушаться к тому, что он пытается сказать тебе, и оставить его в покое, а потом рассказать о случившемся кому-то из взрослых.

На улице

Очень важно помнить, что не все собаки так же дружелюбны, как твой щенок. Некоторым собакам не нравится, когда их трогают незнакомые люди. Поэтому, прежде чем погладить чью-либо собаку, обязательно спроси разрешения у ее хозяина.

Собаки, которые гуляют сами по себе

Иногда ты можешь встретить собаку, которая гуляет без хозяина, например в парке или на улице. Не трогай ее. Собака может испугаться и начнет защищаться, поэтому постарайся держаться от нее подальше и расскажи о ней взрослым.

Если на улице незнакомая собака подойдет прямо к тебе, стой спокойно и притворись деревом! Не смотри прямо на собаку, иначе она может подумать, что ты ей угрожаешь. Веди себя спокойно и подожди, пока она не отойдет, а потом спокойно уходи и расскажи о случившемся кому-либо из взрослых. Никогда не убегай, не размахивай руками и не кричи. Этим ты можешь испугать собаку, и она подумает, что ей нужно защищаться.

Если за тобой погонится собака, когда ты катаешься на велосипеде, слезь с велосипеда так, чтобы он был между вами. Стой спокойно и попроси кого-нибудь из взрослых о помощи.

Некоторые собаки любят гоняться за всем, что движется. Конечно, хозяева не должны им этого позволять. Если за тобой погналась собака, не кричи. Остановись и стой спокойно. Повернись к собаке, но не смотри прямо на нее. Если ты будешь так себя вести, она быстро успокоится, а хозяин сможет подойти и взять ее на поводок. Если за тобой погонится собака, когда ты катаешься на велосипеде, постепенно остановись и слезь с велосипеда так, чтобы он оказался между вами. Потом спокойно подожди, пока собака не потеряет интерес к тебе и не отойдет.

Родителям на заметку

Каждый год происходит множество случаев, когда собаки кусают детей, но чаще это не чужие собаки на улице, а их собственные домашние животные. Вот почему очень важно тренировать щенка и учить его правильно вести себя. Если вас беспокоит поведение вашего щенка, не стоит медлить, обратитесь за помощью к ветеринару, и, возможно, он направит вас к хорошему тренеру.

Лающие собаки

Никогда не дразни собаку, которая лает на тебя из-за забора. Это нехорошо, а кроме того, может быть опасно. Если вы с друзьями играете в мяч, и он перелетит через забор, не нужно лезть за ним. Попроси кого-либо из взрослых сходить за мячом. Некоторые собаки очень дружелюбны, когда гуляют на улице, но когда они на своей территории, например, во дворе, они будут ее охранять и поэтому могут вести себя агрессивно.

Внизу: *Эти собаки пытаются понять, представляет ли человек, который приближается к ограде, опасность. Если залает хоть одна собака, остальные ее поддержат.*

язык ДВИЖЕНИЙ собаки

Собаки не разговаривают так, как мы. Но если ты научишься понимать язык движений, то узнаешь, что щенок хочет тебе сказать. Как и мы, собаки используют выражение лица и движения, чтобы показать, что они чувствуют. Некоторые движения, которые используем мы, по своему значению очень похожи на те, что используют собаки, а некоторые означают совершенно другое.

Выражение негативных эмоций

Собаки предупреждают нас, когда они в плохом настроении. Если ты видишь, что твой щенок или другая собака делает такие жесты, тебе лучше оставить его в покое:

Неуверенная походка

Если твой щенок часто останавливается, когда идет куда-то, это значит, что он чувствует себя неуверенно и хочет побыть один. Собаки часто ведут себя таким образом, если у них есть кость или другой предмет, который они охраняют. Никогда не пытайся забрать этот предмет.

Рычание

Это очевидно. Собака ясно говорит: «уходи!» Или же она просто играет.

Щенок показывает зубы

Когда собака приподнимает верхнюю губу и показывает зубы, она предупреждает, что может укусить. Она как будто говорит: «Посмотри на мое оружие!» Впрочем, не стоит забывать, что у собак всегда немного видно зубы, когда они дышат или открывают рот, как собака на фотографии справа. Это не признак агрессии.

Выражения лица человека		Выражения «лица» собаки	
Выражение	**Значение**	**Выражение**	**Значение**
Ты улыбаешься	Ты счастлив	Собака показывает зубы	Собака злится
Ты хмуришься	Тебе что-то не нравится	Собака морщит лоб	Собака о чем-то думает
Твои глаза широко открыты	Ты удивлен	Глаза собаки широко открыты	Собака напугана
Твои глаза полуприкрыты	Ты хочешь спать	Глаза собаки полуприкрыты	Собака настроена дружелюбно
Ты пристально смотришь	Тебе интересно	Собака пристально смотрит	Собака тебе угрожает

Слева: *Такой поклон – самое настоящее приглашение поиграть!*

Справа: *Опустив плечи и подняв заднюю часть корпуса, этот щенок бордер-колли «кланяется» и зовет хозяина поиграть.*

Поклон

Собака опускает голову низко к полу и при этом поднимает заднюю часть корпуса и хвост, как будто собирается прыгнуть. Это приглашение поиграть.

Поднятая лапа

Собака может поднять лапу и предложить тебе прикоснуться к ней. Этот жест равносилен рукопожатию и показывает, что собака настроена дружелюбно.

Подпрыгивания

Некоторые собаки, особенно щенки, слегка подпрыгивают – отрывают от пола только передние лапы. Иногда щенок делает так, а потом убегает – этим он приглашает тебя погоняться за ним!

Движения хвоста

То, как собака двигает хвостом, может многое рассказать о ее чувствах. Однако некоторым породам собак хвост купируют, и в таком случае настроение собаки понять сложнее.

Вздыбленная шерсть на загривке

Иногда собака может распушать шерсть на загривке, чтобы казаться больше, чем она есть на самом деле. Это обычно происходит потому, что собака испугана. В такой ситуации лучше всего оставить ее в покое, ведь от страха она может укусить тебя.

Собака приседает и поджимает хвост

Эта собака напугана или взволнована. Если собаке страшно, она, скорее всего, попытается убежать, но тебе лучше к ней не подходить, ведь она может укусить тебя.

Выражение позитивных эмоций

Собаки могут использовать жесты, чтобы показать, как им весело. Если ты видишь собаку, которая так себя ведет, скорее всего, она хочет играть.

Этот щенок высоко держит хвост и поднимает лапу – он уверен в себе и чем-то заинтересован.

Вверху: *Этот щенок поджал хвост — он взволнован и не уверен в себе.*

Когда собака по-настоящему счастлива и довольна, она машет хвостом. Однако помахивания — это не всегда показатель того, что собака всем довольна:

- Если собака высоко подняла хвост и быстро и энергично им размахивает, значит, она очень уверена в себе и, возможно, сердится.
- Если собака низко опустила хвост и медленно водит им из стороны в сторону, она чувствует себя неуверенно.
- Если собака поджимает хвост, значит, она взволнованна.

Почему моя собака зевает?

Собаки зевают по тем же причинам, что и мы! Они зевают, когда устали, если им скучно или когда видят, как зевает другая собака или человек. Собаки также зевают, когда нервничают. Если твой щенок зевает во время упражнений, возможно, тебе стоит быть с ним более ласковым.

Этот щенок очень устал! Он высунул язык и, кажется, сейчас зевнет.

Почему моя собака лижет меня?

Собаки лижут человека в знак любви. Когда собака была щенком, мама умывала ее языком, и щенок чувствовал себя в безопасности. Щенки лижут свою маму, чтобы она их накормила. Например, если щенок лижет маму вокруг рта, он надеется, что она отрыгнет ему немного еды. Собаки не забывают об этом, поэтому иногда даже взрослая собака может лизать хозяина, чтобы показать, как сильно она его любит.

Моей собаке снятся сны?

Кажется, что собакам могут сниться сны. Во сне собаки часто шевелят лапами, морщат нос и даже рычат! Иногда спящая собака так двигает лапами и хвостом, будто куда-то бежит. Впрочем, мы никогда не узнаем наверняка, снятся ли собакам сны.

Почему у моей собаки большие зубы?

Собаки всеядны, то есть они едят как мясо, так и овощи. Диким собакам приходится охотиться, чтобы раздобыть себе обед, – они гоняются за добычей, ловят и убивают ее. Передние зубы у собак – это заостренные и слегка загнутые внутрь клыки. С их помощью собаки едят мясо. Задние зубы у собаки очень острые, ими она грызет кости и мышцы; человек использует задние зубы, чтобы жевать.

Моя собака знает, сколько времени?

У твоей собаки, конечно же, нет часов, но она может знать, сколько сейчас времени. Многие собаки очень умные и точно знают, когда наступает время обеда, когда их хозяин приходит домой из школы или с работы. Некоторые собаки волнуются и сидят перед входной дверью в то время, когда кто-то из членов семьи вот-вот должен вернуться домой. Некоторые собаки будят хозяина каждое утро в одно и то же время – очень полезная привычка, но только не в выходные!

Собаки узнают людей?

Да! У собак очень хорошая память, и они узнают людей и других собак, причем часто по запаху. Собака может узнать человека, которого очень долго не видела или видела всего несколько раз. Известно, что если собака потеряется, она может найти дорогу домой, потому что знает, в каком направлении идти.

Так вот для чего нужны зубы?! Этот щенок, помесь лейкленд-терьера и бордер-колли, с удовольствием грызет сочную кость.

ИГРЫ ДЛЯ ТЕБЯ И ТВОЕГО щенка

1 игры дома

Если на улице идет дождь, это вовсе не означает, что щенок должен целый день спать! Собаки всегда готовы поиграть. Предложи щенку некоторые из этих игр, а потом вы можете придумать свои. Щенку это обязательно понравится.

Прятки

Собака может искать какой-либо предмет, лакомство или человека. В прятки очень легко играть, твой щенок может искать человека или одну из своих любимых игрушек.

Оставь щенка в одной комнате, а сам тем временем спрячь лакомство или игрушку – или спрячься сам – в другой. Сначала помогай щенку, чтобы ему было легче. Часто его

хвали и показывай радость, когда он найдет спрятанную вещь.

Когда твой щенок научится играть в эту игру достаточно хорошо, можно ее усложнить. Некоторых собак можно научить искать по запаху какой-либо определенный предмет, например, кофейное зернышко.

Игры с едой

Диким собакам нужно охотиться, чтобы добыть себе еду. Собаке, живущей в доме, ничего не нужно делать – обед появляется перед ней в миске!

Чтобы твоему щенку было интереснее, предложи ему поискать еду. Если ты кормишь щенка сухим кормом, разбросай

Дешево и весело

Пластиковая бутылка может стать отличной игрушкой для щенка. Открути крышку и положи внутрь бутылки несколько кусочков собачьего печенья. Щенку придется потрясти и покатать бутылку, чтобы добраться до лакомства!

Доставать лакомства из пластиковой бутылки очень весело.

Игры с коробками

Щенок может часами играть с большой и прочной картонной коробкой. В ходе такой игры он дает выход своей энергии разрушения. Сначала поставь коробку вверх дном и спрячь лакомство или игрушку под нее. Потом поставь коробку на пол и положи игрушку или лакомство внутрь.

Можно построить «конструктор» из коробок. Поставь одну коробку внутрь другой, внутрь нее еще одну и так далее, а между коробками спрячь лакомства для щенка. Можно также взять коробку и положить в нее большой мяч, такая игра тоже понравится щенку. Многим собакам, особенно терьерам, нравится засовывать голову в коробку и «выкапывать» мяч.

кусочки корма по дому, чтобы щенок их искал. Чем лучше у щенка будет получаться, тем больше ему будет нравиться игра, и тем энергичнее он будет махать хвостом.

Если ты кормишь щенка мясом или консервированным мясным кормом, нужно немного изменить правила игры. Разложи корм на маленькие тарелочки и спрячь их в разных местах. Некоторых собак можно научить приносить тебе тарелку после того, как они съели корм. Но будь внимателен – если щенок поест мяса и сразу бросится искать следующую порцию, у него может заболеть живот, поэтому клади на каждую тарелку чуть-чуть корма – одной чайной ложки будет достаточно.

Щенку также понравится доставать лакомства, спрятанные внутри игрушки, кости или даже бумажного пакета. Щенок может часами играть с игрушкой, наполненной едой, и вряд ли он сможет устоять перед соблазном, если ты дашь ему такую игрушку.

Попробуй наполнять игрушку разными лакомствами и проверь, что щенку интереснее: лакомство или игра сама по себе. Попробуй положить игрушку в холодильник и приготовить замороженное угощение для своего щенка!

Охота

Спрячь маленький кусочек сыра или ветчины, например, в картонную сердцевину от рулона туалетной бумаги. Сложи края, чтобы лакомство не выпало. Покажи коробочку щенку, дай ему понюхать.

Пока щенок ждет тебя в одной комнате, спрячь коробочку с лакомством в другой. Пусть щенок попробует ее найти, а ты засеки, сколько времени это у него займет. Можешь хвалить щенка, но не показывай ему, где спрятано лакомство.

Очки

5 секунд или меньше плюс щенок принес коробку тебе	25 очков
5 секунд или меньше	20 очков
10 секунд или меньше	15 очков
20 секунд или меньше	10 очков
30 секунд или меньше	5 очков
Более 30 секунд	0 очков

Через лабиринт

Включи воображение и смастери лабиринт для своего щенка. Возьми большую картонную коробку, разрежь ее по швам так, чтобы, когда ты поставишь ее на бок, получился туннель, через который сможет пройти щенок.

Пока щенок наблюдает за тобой, спрячь лакомство под чашку.

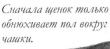

Сначала щенок только обнюхивает пол вокруг чашки.

Сделай также откидную дверь, закрывающую вход в туннель.

Сначала держи дверь поднятой и положи игрушку или лакомство на выходе из туннеля. После того как твой щенок начнет уверенно проходить через туннель, каждый раз, когда ты кладешь что-то с другой стороны, опусти дверцу. Теперь щенку придется самому толкнуть ее, чтобы добраться до лакомства. Сколько времени это у него займет?

Лакомство под чашкой

Возьми старую пластиковую чашку или стакан, положи на пол кусочек лакомства, а потом спрячь его под перевернутой чашкой. Щенку придется постараться, чтобы добраться до угощения без твоей помощи. Сосчитай, сколько времени это у него займет.

Некоторые щенки отодвигают чашку лапой, другие отталкивают ее носом или даже берут за ручку и убирают в сторону. Каким бы способом ни воспользовался твой щенок, ты не должен ему помогать.

Очки

5 секунд или меньше	25 очков
10 секунд или меньше	20 очков
20 секунд или меньше	15 очков
30 секунд или меньше	10 очков
Более 30 секунд, или щенок обходит вокруг коробки	0 очков

Очки

5 секунд или меньше	20 очков
10 секунд или меньше	15 очков
20 секунд или меньше	10 очков
30 секунд или меньше	5 очков
Более 30 секунд	0 очков

Это похожая игра. Тебе нужно спрятать косточку под одеяло щенка.

Щенок чувствует запах спрятанного лакомства и начинает «копать».

Потом он начинает толкать носом. Щенку нужно, чтобы чашка во что-то упиралась, тогда он сможет ее перевернуть.

Как только щенок перевернет чашку, он найдет угощение. Теперь можно с удовольствие похрустеть лакомством!

Твои колени подойдут идеально!

Учимся, играя

Дикие собаки много охотятся, спят, играют и едят. Игры позволяют собакам подружиться между собой и обеспечивают хорошие отношения между членами одной семьи. Также игры помогают выявить слабые места каждого члена стаи, чтобы потом, на охоте, собаки могли поддержать друг друга в нужный момент или продолжить погоню, когда товарищ устанет.

Гений, или Могло бы быть и лучше?

Сложи очки, которые твой щенок заработал за три игры, и проверь результат:

25 очков или больше	Твой щенок гений!
20 очков или больше	Твой щенок очень умный
15 очков или больше	Выше среднего
10 очков или больше	Нужно еще потренироваться
5 очков или больше	Еще много над чем нужно поработать
Менее 5 очков	Попробуй еще раз, когда щенок проснется!

Волки-подростки

Все собаки, и взрослые, и щенки, любят играть. Хотя собаки и произошли от волков, они давно живут рядом с человеком, и их повадки сильно изменились. Это значит, что они никогда до конца не вырастут и не будут вести себя как взрослые волки – только как волки-подростки!

«Раскопки» не прошли даром – щенок достал лакомство!

2 игры на улице

Идем по следу

Научи щенка «идти по следу», то есть находить по запаху предмет или человека. Эта увлекательная игра понравится вам обоим. Все собаки могут идти по следу, так как у них есть врожденная способность чутко улавливать запахи на земле и в воздухе.

Чтобы научить щенка идти по следу, тебе прежде всего нужно сделать простейший след. Оставив щенка дома, выйди утром во двор. Лучше всего оставлять след на траве, тогда щенок сможет уловить запах примятых тобой травинок.

Пройди десять шагов по прямой и положи на землю что-то интересное – лакомство или игрушку. Повернись и пройди обратно по своим же следам. Примерно через десять минут выпусти щенка во двор, возьми его на поводок и начни игру. Подведи щенка к началу дорожки и подожди, пока он не приведет тебя к лакомству. Позволь щенку съесть угощение и похвали его.

Сначала многие собаки не столько ищут лакомство по запаху, сколько высматривают, где оно лежит. Пригнув голову щенка рукой, дай ему понять, что он должен смотреть на землю и искать только по запаху. Как только щенок

запомнит правила игры, можешь постепенно усложнять след до тех пор, пока щенку не *придется* искать по запаху лакомство, которое будет уже вне поля зрения. И главное – не забудь похвалить щенка в конце игры. Прыгай, как сумасшедший, когда он приведет тебя к цели!

Футбол для собак

Если ты научишь щенка толкать мяч носом или лапой, с ним можно будет играть во множество увлекательных игр. Только представь, ты сможешь играть с ним в футбол, и не нужно будет бояться, что мячик может лопнуть!

1. Приготовь кликер и лакомства для щенка.
2. Покажи щенку мяч и держи его рядом с носом щенка на расстоянии сантиметра. Скорее всего, щенок потянется к нему, чтобы понюхать. Как только он дотронется до мяча носом, щелкни кликером или

Слева: *Поскольку большинство собак достаточно любопытны, будет несложно научить щенка толкать мяч носом, обнюхивая незнакомый предмет.*

произнеси сигнальное слово. Если щенок ничего не делает, дотронься до мяча рукой и щелкни кликером. Похвали щенка за то, что внимательно за этим смотрел.

3. Повтори это упражнение несколько раз. Большинство собак быстро понимает, что между тем, что они дотронулись до мяча, и сигналом кликера есть связь. Щелкай кликером и хвали щенка каждый раз, когда он прикасается к мячу.

4. Теперь держи мяч немного дальше (чтобы щенку пришлось подойти к нему), низко (чтобы щенку пришлось наклониться) или высоко (чтобы ему пришлось вытянуться).

5. Как только щенок научится касаться мяча, как бы ты его ни держал, положи мяч на пол или подними повыше: пусть щенок подпрыгнет, чтобы достать его.

Чтобы научить щенка толкать мяч лапой, ты можешь использовать кликер и лакомства.

6. Потом подожди, пока щенок не толкнет мячик достаточно сильно, чтобы он покатился. Похвали щенка. Выполняйте это упражнение, пока щенок не научится толкать мяч к тебе, чтобы ты мог толкнуть его обратно щенку. Когда вы не выполняете упражнения, убирай мяч, чтобы щенок его не видел.

Чтобы научить щенка пинать мяч, хвали его, когда он будет касаться его лапой. Не у всех собак это хорошо получается, но, скорее всего, если щенок догадался, что ты от него требуешь, он поймет смысл игры довольно быстро.

Карусель

Для этой игры нужен щенок, несколько твоих друзей или членов семьи, лакомства или игрушки для щенка.

1. Все люди должны встать в круг.
2. Кто-то один держит щенка, а потом быстро называет имя другого игрока.
3. Этот человек должен подозвать щенка, а когда тот подойдет, похвалить его и дать ему лакомство. Потом нужно назвать имя следующего человека, который должен будет подозвать к себе щенка.

щенок всегда получает лакомства, когда к кому-то подходит. Возможно, стоит наградить и человека, который выиграет!

Классики

1. Во дворе отметь четыре зоны. Они должны образовывать квадрат и располагаться на расстоянии примерно двух метров друг от друга. Возьми щенка на поводок и подойди с ним к первой отметке. Скажи щенку, чтобы он сел.
2. Потом быстро подведи щенка ко второй отметке и прикажи: «Лежать!»
3. У третьей отметки щенок снова должен сесть, а у четвертой – лечь.

Пусть твой щенок побежит за игрушкой, поднимет ее и принесет тебе.

Попроси друга, чтобы он с помощью секундомера или часов с секундной стрелкой засек, сколько времени понадобится щенку и тебе, чтобы пройти все четыре зоны. Потом отдай поводок другу. Проверь, вдруг у них получится быстрее.

Чтобы игра была интереснее, добавляйте штрафные очки за ошибки. Например, добавляйте пять секунд, если тебе или твоему другу придется рукой подсказывать щенку, что значат команды «Сидеть!» и «Лежать!», также добавляйте пять секунд, если команду придется повторять несколько раз.

Однако помни, что ни ты, ни твой друг не должны слишком торопиться, этим вы можете испугать щенка или нечаянно сделать ему больно.

4. Если щенок не подходит к зовущему больше 20 секунд, этот человек выбывает из игры! Следующего человека, который должен позвать щенка, выбирает тот, к кому щенок подошел последним.
5. Если щенок быстро подходит ко всем игрокам, усложните правила и сократите время до десяти секунд. Убедись, что

Слева: *Те, кто вместе играет, — настоящие друзья. Играй со своей собакой каждый день.*

Справа: *Эта собака хочет гулять! Ты тоже можешь научить щенка приносить поводок.*

Неси, неси, неси...

Эта игра научит щенка слушаться тебя, когда ты стоишь далеко от него, и приносить тебе предметы.

1. С помощью мела нарисуй на земле во дворе разделительную линию или обозначь эту границу еще как-нибудь.

2. Возьми как минимум восемь игрушек. Сложи их за линией в два ряда, по четыре игрушки в каждом.

3. Посади щенка за линией, а сам отойди в другую сторону на десять или двадцать шагов.

4. У вас тридцать секунд на то, чтобы щенок принес тебе как можно больше игрушек! Тебе нельзя переходить линию, так что отдавай команды издалека, хвали щенка, когда он берет игрушки, и проси, чтобы он принес их тебе.

Внизу: *Эта собака несет мяч своему хозяину.*

3 виды спорта для тебя и твоего щенка

Аджилити

Аджилити* – это увлекательный спорт для собак и их владельцев. Собак учат преодолевать различные препятствия, например, прыгать через висящие колеса, бегать через туннели и проходить, лавируя между вкопанными в землю шестами. В таких соревнованиях могут принимать участие собаки всех пород, хотя бордер-колли – признанные чемпионы этого вида спорта.

Наискосок: *Упражнения на послушание очень важны. На этой фотографии ты видишь, как нечистокровный щенок йоркширского терьера выполняет команды «Замри!» и «Лежать!»*

В ходе тренировок собаке придется научиться перепрыгивать через барьер, а это сложное упражнение, для которого нужно много сил – поэтому собаки, которым еще не исполнился год, обычно не участвуют в соревнованиях. Собака должна быть обучена базовым навыкам и должна слушаться хозяина, так как в ходе тренировок животных отпускают с поводка, и собака находится рядом с посторонними людьми и другими собаками.

*От англ. agility – ловкость, умение. – *Прим. пер.*

Сверху вниз: *Этот золотистый ретривер участвует в ваниях по аджилити. Сейчас он перепрыгивает через барье*

Хозяин дает йоркширскому терьеру команду «Прыгай!», чтобы тот преодолел препятствие.

Неустрашимый пес: джек-расселл-терьер проходит по пла

Миниатюрный шнауцер проходит по специальным качеля

Послушание

Соревнование по послушанию очень популярны во всем мире, ведь в них проверяются не только навыки собаки, но и талант ее владельца как тренера и учителя. В ходе таких соревнований проверяется, насколько хорошо собака может гулять рядом с ногой хозяина, садиться и ложиться по команде и замирать в таком положении до следующей команды. Также проверяется, слушается ли собака хозяина, когда он находится от нее на некотором расстоянии и отдает голосовые команды или жестом показывает, что нужно делать.

Некоторые соревнования по послушанию проводятся специально для детей и их собак. В хорошем клубе по дрессировке собак вам помогут подготовиться к подобным соревнованиям и научат щенка выполнять основные упражнения.

Флайбол

Флайбол* – это очень весело! Собак организуют в команды, и они по очереди пробегают дистанцию. На этой дистанции каждая собака должна перепрыгнуть через несколько невысоких барьеров и подбежать к коробке, внутри которой находится мяч. Все собаки обучены нажимать на педаль внизу коробки. Эта педаль выталкивает мяч из коробки, и он подлетает в воздух. После этого, с мячом в зубах, собака возвращается обратно, и на дистанцию выходит следующий член команды. Выигрывает та команда, члены которой быстрее пройдут дистанцию.

Соревнования на проверку рабочих качеств собаки

На соревнованиях на проверку рабочих качеств собаки животное

*От англ. fly – летать и ball – мяч. – *Прим. пер.*

проходит испытания по нескольким направлениям: выполнение команд, выслеживание, нахождение спрятанных предметов и аджилити. Этот вид спорта идеален для тех, кто любит проводить время на свежем воздухе.

Фристайл

Изначально соревнования по фристайлу заключались в том, что собаки должны были выполнять простейшие команды под музыку. Сегодня фристайл включает в себя также различные трюки. Например, собака должна обходить по кругу ногу хозяина, вертеться на месте, ходить задом наперед – и все это в такт музыке.

Выставки собак

Чистокровные собаки иногда участвуют в выставках, чтобы доказать, что они соответствуют официально признанному стандарту своей породы. Во время выставки собака должна спокойно стоять перед жюри и пройтись с правильной скоростью рядом с хозяином. На многих выставках есть специальные группы, в которых выступают дети со своими собаками. Во многих собаководческих клубах тебе и твоему щенку могут помочь подготовиться к подобного рода выставке.

На некоторых небольших выставках есть также группы для нечистокровных собак. Твой щенок может победить в номинации, например, «собака с самым милым хвостом» или «самые красивые глаза»! Многим также нравится номинация «собака, которую судья с радостью забрал бы себе»!

Если ты решишь заняться одним из этих видов спорта, свяжись с собаководческим клубом твоего города, там тебя направят к хорошему тренеру, который поможет тебе. Помни, что это хороший способ завести новых друзей и отлично провести время!

4 обучение трюкам

Дай лапу!

Многие собаки сами учатся давать лапу — и привыкают к тому, что мы их за это хвалим! Новорожденные щенки лапой давят на живот маме, чтобы она покормила их своим молоком. Они не забывают этот жест, и, когда вырастают, подают лапу, чтобы показать, что любят тебя и что они всем довольны.

Щенки часто дотрагиваются до мамы лапой, чтобы она обратила на них внимание или покормила их.

1. Прежде всего усади щенка перед собой. Дай ему лакомство.
2. Зажми кусочек лакомства в кулаке и держи руку низко над полом. Внимательно наблюдай за щенком. Как только он пошевелит лапой и попытается добраться до лакомства, щелкни кликером или скажи сигнальное слово и дай щенку угощение.
3. Большинство собак тычется в кулак носом, чтобы достать лакомство. Не разжимай кулак, и, скорее всего, щенок попробует достать его лапой. Как только это случится, щелкни кликером и дай щенку угощение.
4. Теперь пора установить правило. Щенок должен специально поднять лапу к твоей руке, только в этом случае он получит угощение.
5. Теперь подними руку немного повыше. Щенку придется выше поднимать лапу, чтобы дотянуться до лакомства. Если щенок правильно выполняет упражнение, похвали его и дай ему лакомство.
6. Когда щенок научится давать тебе лапу всякий раз, когда ты протягиваешь ему руку, начни перед этим произносить команду. Например, скажи: «дай лапу!» и немного подожди, прежде чем протягивать руку. Очень скоро щенок поймет, что такое рукопожатие, и запомнит эту команду.

Дай пять!

Когда щенок научится по команде давать тебе лапу, можете учить следующий трюк. На этот раз, когда щенок подаст тебе лапу, убери руку, и получится, что щенок машет лапой в воздухе. Щелкни кликером и похвали его. Вскоре твой щенок научится высоко поднимать лапу и забавно махать ею — дай пять!

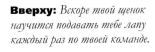

Слева: *Зажми лакомство в кулаке и держи руку низко над полом. Сначала щенок будет просто нюхать твой кулак.*

Справа: *Когда щенок, чтобы обратить на себя внимание, потрогает твою руку лапой, скажи: «Дай лапу!» и угости щенка лакомством.*

Вверху: *Вскоре твой щенок научится подавать тебе лапу каждый раз по твоей команде.*

Слева: *Этот золотистый ретривер «показывает медведя», при этом зажав в зубах мячик.*

Покажи медведя!

Этот трюк может называться по-разному: «Покажи медведя!», «Покажи пингвина!» или просто «Проси!» Чтобы выполнить эту команду, твой щенок должен хорошо уметь держать равновесие. Если он умеет это делать, приступайте к тренировкам.

1. Когда щенок сидит, возьми в руку лакомство и держи его над головой у щенка. Если он оторвет от пола хотя бы одну переднюю лапу, пытаясь привстать и добраться до угощения, щелкни кликером и похвали щенка.
2. Повтори это упражнение несколько раз.
3. Теперь усложни щенку задачу. Он должен оторвать от пола обе передние лапы. Если он правильно все сделает, похвали его и дай ему угощение.
4. Постепенно щенок должен подниматься выше, стоя на задних лапах. Дай ему время, чтобы он мог сохранять равновесие.
5. И наконец, научи щенка выполнять это упражнение по команде: «Покажи медведя!» или «Проси!»

Кувырок

Если ты научишь щенка перекатываться на спине, тебе будет легче его расчесывать. К тому же, если твой щенок легко выполняет это упражнение, значит, он чувствует себя в безопасности, когда ты рядом.

1. Попроси щенка лечь. Если понадобится, дай ему лакомство.

2. Когда щенок ляжет, посмотри, в какую сторону повернуты его бедра. Возьми лакомство и поднеси его к носу щенка, постепенно отводя руку в сторону так, чтобы щенку пришлось смотреть на нее через плечо. Щенок должен повернуть голову в сторону, противоположную той, куда повернуты бедра.

3. Держи лакомство рядом со ртом щенка и продолжай отводить руку.

4. Все время хвали щенка. Крепко держи угощение. Скоро щенок перекатится на спину. Как только он это сделает, щелкни кликером и дай ему лакомство.

5. Постепенно перестань приманивать щенка лакомством. Он должен понять, за что именно ты даешь ему угощение.

6. Как только щенок научится перекатываться на спину, начни говорить перед этим: «Кувыркайся!»

7. Тренируйтесь до тех пор, пока щенок не научится делать такой кувырок из положения стоя, а потом снова вставать. Это выглядит очень впечатляюще!

Для некоторых пород собак, например, доберманов, очень тяжело кувыркаться на твердой поверхности, потому что у них от этого болит спина. Попробуйте выполнять этот трюк на мягкой подстилке. Хвали щенка даже за малейшие попытки правильно выполнить команду.

Не забудь поклон!

Когда твой щенок научится показывать все эти великолепные трюки, ему стоит научиться кланяться в конце выступления. Так как собаки «кланяются» друг другу, когда хотят поиграть, выучить этот трюк будет несложно.

1. Держи лакомство рядом с носом собаки и медленно опускай его к полу между передних лап щенка.

2. Собака будет следить за лакомством и опустит голову. При этом ее хвост останется высоко. Щелкни кликером или произнеси сигнальное слово и дай щенку лакомство.

3. Если щенок опускает заднюю часть корпуса на пол, мягко поддержи его рукой под живот. Удерживай его в нужном по-

Слева направо: *Постепенно опуская лакомство на пол, сделай так, чтобы щенок лег. Потом (вторая фотография) отводи руку назад. Щенок будет следить за лакомством и перекатится на спину. Немного практики – и твой щенок научится кувыркаться по команде, как эта собака на фотографии* **вверху.**

ложении несколько секунд, потом щелкни кликером и дай ему лакомство.

4. Когда твой щенок научится правильно выполнять это упражнение, начни говорить слово «кланяйся!» перед тем, как опускать руку с лакомством к полу. Вскоре щенок научится выполнять этот трюк и без угощения, а просто по команде или следуя за движением твоей руки.

Внизу: *Бордер-колли «кланяется» перед игрушкой.*

заключение

Все собаки очень забавны, милы и восхитительны в первые недели жизни. Рост и развитие твоего щенка – это отражение того, как ты и твоя семья заботились о нем. Наблюдать за тем, как твой щенок думает, общается и учится, очень интересно, но в то же время и очень сложно.

Из этой книги ты узнаешь, что невозможно воспитать щенка за несколько часов или дней. Это займет целую жизнь. Если правильно тренировать щенка и развивать в нем навыки послушания, он станет членом твоей семьи – хотя ему и придется соблюдать определенные правила – и обязательно вознаградит тебя за усилия любовью и дружбой.

Возможно, ты захочешь вступить в кинологическое сообщество твоего города, где профессиональные тренеры помогут тебе в воспитании щенка, или же предпочтешь заниматься со своей собакой только дома. В любом случае пусть занятия со щенком принесут вам обоим побольше веселья и радости!

Художественный редактор *С.А. Порхаев*
Выпускающий редактор *О.Б. Резчикова*
Корректоры *Р.З. Кашапова, С.С. Шарова*
Компьютерная верстка *И.В. Юстус*

ООО «Издательство «Мартин», 170001, г. Тверь, пр-т Калинина, 17
Тел. (4822) 42-47-23. *E-mail:* martin-tver@list.ru
ООО «Мартин Пресс», 105082, г. Москва, ул. Б. Почтовая, 30, оф. 45
Тел. (499) 267-84-13. *E-mail:* martin-mos@umail.ru
www.martinpublishing.ru

Подписано в печать 12.02.2010. Формат 75х100/16.
Печать офсетная. Гарнитура Bookman. Усл. печ. л. 24,51. Тираж 5000 экз.
Заказ № 0877. Отпечатано в соответствии с предоставленными материалами
в ЗАО "ИПК Парето-Принт", г. Тверь, www.pareto-print.ru